C000154172

ld

Meini Nadd
a Mynyddoedd

Teithiau llên a hanes yn ardal Y Preselau

EIRWYN GEORGE

Argraffiad cyntaf—1999

ISBN 1 85902 784 9

Mae Eirwyn George wedi datgan ei hawl dan Ddeddf
Hawlfraint, Dyluniadau a Phatentau 1988 i gael ei
gydnabod fel awdur y llyfr hwn.

Dymuna'r cyhoeddwyr gydnabod cymorth Cyngor Llyfrau Cymru.

*Argraffwyd yng Nghymru gan
Wasg Gomer, Llandysul, Ceredigion*

MYNYDDOEDD Y PRESELAU

Piau eu hedd? Bro'r copâu – a eilw'r
    Galon o'i doluriau;
    Hyd y fawnog dof innau,
    Yma mae balm i'm bywhau.

Rhagair

Dyfarnwyd rhan gyntaf y gyfrol hon yn fuddugol yn Eisteddfod Genedlaethol Meirion a'r Cyffiniau 1997. *Tywys-daith o gwmpas cofebau a mannau o ddiddordeb hanesyddol unrhyw ardal yng Nghymru* oedd y testun. Roedd y wobr hefyd yn cynnwys comisiwn i'r awdur ychwanegu at y gwaith ar gyfer ei gyhoeddi'n llyfr. Ond mae'n deg dweud mai gweld prinder llyfrau yn y Gymraeg yn ymwneud â hanes Sir Benfro oedd y sbardun pennaf i fynd ati i ysgrifennu *Meini Nadd y Mynyddoedd*. Aeth dros ddeugain mlynedd heibio bellach ers cyhoeddi'r ddwy gyfrol ardderchog *Crwydro Sir Benfro* gan E. Llwyd Williams yn y gyfres *Crwydro Siroedd Cymru*. Bu llawer tro ar fyd ers hynny. Ymgais i gyflwyno hanes y filltir sgwâr ar ei newydd wedd a rhoi gwisg gyfoes i dirlun hynafol y Preselau yw cynnwys y gyfrol hon. Gobeithio y bydd i'r teithiwr hefyd, wrth ddilyn y culffyrdd o gofeb i gofeb, fwynhau'r golygfeydd ysblennydd, ymdeimlo â phwerau'r gorffennol, a dod yn fwyfwy ymwybodol o dreftadaeth ddiwylliannol y rhan hon o Ddyfed.

Dymunaf ddiolch i Bonni Davies am deipio'r gwaith ar gyfer ei gyhoeddi; i Wasg Gomer am argraffwaith glân a destlus; ac i Bethan Mair Mathews am bob cymorth a chyfarwyddyd wrth ddwyn y gyfrol i olau dydd.

Gorffennaf 1999   Eirwyn George

De'r Preselau

Taith lenyddol-hanesyddol o gwmpas cofebau'r ardal

O Barc Gwledig Llys-y-frân i Rosebush	4.8
O Rosebush i Gofeb Joseph James	0.7
O Gofeb Joseph James i Lynsaithmaen	2.9
O Lynsaithmaen i Batshyn Glas	0.9
O Batshyn Glas i Gofeb Waldo	0.6
O Gofeb Waldo i Gors Fawr	1.0
O Gors Fawr i Gapel Bethel, Mynachlog-ddu	1.1
O Gapel Bethel i Gofeb Beca yn Efail-wen	3.5
O Gofeb Beca i Gapel Rhydwilym	2.8
O Rydwilym i fwthyn Pen-rhos	3.0
O Ben-rhos i fynwent Eglwys Llandeilo	1.0
Cyfanswm y milltiroedd	22.3

RHYBUDD

Cynghorir teithwyr mewn bws mawr i beidio ymweld â chylch Gors Fawr oherwydd cyfyngder y lle i droi'n ôl wrth fynedfa'r gofeb.

Cynghorir teithwyr mewn bws mawr hefyd i orffen y daith yn Efail-wen. Nid yw'r heolydd cul ar gyrion Cwm Rhydwilym yn addas i gerbydau trwm.

Map 1

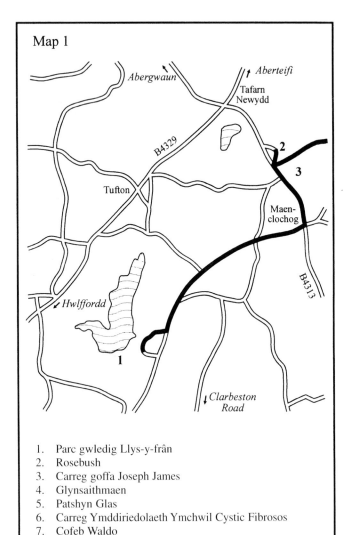

1. Parc gwledig Llys-y-frân
2. Rosebush
3. Carreg goffa Joseph James
4. Glynsaithmaen
5. Patshyn Glas
6. Carreg Ymddiriedolaeth Ymchwil Cystic Fibrosos
7. Cofeb Waldo

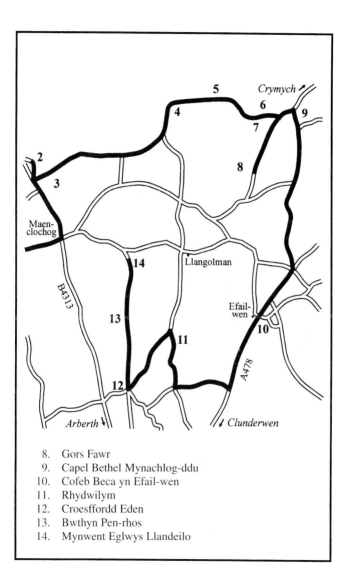

8. Gors Fawr
9. Capel Bethel Mynachlog-ddu
10. Cofeb Beca yn Efail-wen
11. Rhydwilym
12. Croesffordd Eden
13. Bwthyn Pen-rhos
14. Mynwent Eglwys Llandeilo

Parc Gwledig Llys-y-frân.

Cofeb William Penfro Rowland 1860-1937

> Ger Dan-y-coed rwy'n oedi, – henfro'r gwŷdd
>   A'r gân sy'n telori,
>   A daw ias ei nodau hi
>   O'r dail i'n hysbrydoli.

Dechreuwn y daith wrth ymyl llyn Llys-y-frân (O.S. 040244) a bryniau'r Preselau yn edrych arnom o gyfeiriad y gogledd. Dyma gofeb **William Penfro Rowlands,** awdur yr emyn-dôn 'Blaen-wern'. Yma yn nhŷ ffarm Dan-y-Coed, yr adfeilion sy'n swatio o dan ganghennau'r coed tewfrig, y ganed ef yn fab i William ac Annie Rowlands. Nid oedd yma na llyn nac argae yr adeg honno yn cronni'r dyfroedd sy'n diwallu anghenion rhan helaeth o dai annedd a diwydiannau De Sir Benfro. Yn wir, hawdd yw dychmygu'r bachgen cerddgar yn chwarae ar lannau hamddenol afon Syfynwy yn ieuenctid ei ddydd. Fe gafodd ei addysg gynnar yn Ysgol y Mot (math o ysgol breifat) ac yn

13

DAN-Y-COED

YMA   THE
Y GANED   BIRTHPLACE OF
WILLIAM PENFRO ROWLANDS
1860 ~ 1937
AWDUR   COMPOSER
YR   OF THE
EMYN-DÔN   HYMN-TUNE
'BLAEN-WERN'.

Dadorchuddiwyd -
- y gofeb hon gan
John Elfed Jones, C.B.E.,D.L.
Cadeirydd, Dŵr Cymru Cyf.
ar
Fawrth 14 eg, 1993.
This memorial -
- was unveiled by
John Elfed Jones, C.B.E.,D.L.
Chairman, Welsh Water plc
on
14th March, 1993.

Dadorchuddio cofeb William Penfro Rowlands yn Llys-y-frân.

14

ddiweddarach yn Ysgol Llys-y-frân pan gafodd honno ei hagor yn 1868. Derbyniwyd ef yn aelod yng nghapel y Methodistiaid Calfinaidd yn y Gwastad gan yr enwog David Charles, Caerfyrddin.

Ond gadael ei fro enedigol yn ifanc a fu hanes William Rowlands – ychwanegiad diweddarach oedd yr enw canol 'Penfro'. Aeth i Dreforys yn 20 oed i fod yn athro yn ysgol newydd Pentre-poeth a'i ddyrchafu yn brifathro yn yr un ysgol yn ddiweddarach. Bu yno hyd nes iddo ymddeol a dywedir ei fod yn athro penigamp ac yn ddisgyblwr llym. Wedi iddo symud i Dreforys fe'i denwyd i ymaelodi yng Nghapel y Tabernacl, un o eglwysi cryfaf yr Annibynwyr yng Nghymru ar y pryd, a bu'n arweinydd y gân a chôr-feistr yn yr eglwys honno am 27 o flynyddoedd. Fe'i cofir yn bennaf fel awdur yr emyn-dôn 'Blaen-wern' ond fe gyfansoddodd nifer o donau llai adnabyddus hefyd.

Mae hanes cyfansoddi 'Blaen-wern' yn ddiddorol. Pan oedd Tom, ei unig blentyn, yn fachgen bach, bu'n ddifrifol wael o'r *pneumonia*. Aeth ei dad ag ef i aros ar wyliau gyda theulu Jonathan Perkins ar ffarm Blaen-wern i geisio gwellhad. Saif ffermdy Blaen-wern ryw ddwy filltir o'r fan hon yn ymyl sgwâr Tufton. Dywed traddodiad yr ardal iddo gael yr ysbrydoliaeth i gyfansoddi'r emyn-dôn wrth bwyso ar glwyd un o gaeau'r ffarm a elwid yn Colsa. Ond nid oes tystiolaeth bendant. Fodd bynnag, gwyddom i sicrwydd iddo gyflwyno'r dôn mewn gwerthfawrogiad i deulu Jonathan Perkins a'i henwi yn 'Blaen-wern'.

Mae'n wir hefyd iddi gael ei chyfansoddi ar gyfer ei defnyddio yng Nghapel y Tabernacl, Treforys. Yr oedd hi'n arferiad gan yr eglwys honno i goffáu aelodau a fu

farw yn ystod y mis drwy ganu emyn yn Oedfa'r
Cymundeb. Ar eiriau adnabyddus emyn Ieuan Glan
Geirionydd :

> Enaid cu, mae dyfroedd oerion
> Yr Iorddonen ddu gerllaw,

y cenid hi ar y dechrau. Ond fe ddaeth y dôn 'Blaen-
wern' yn hynod o boblogaidd nid yn unig yng Nghymru
a Lloegr ond hefyd mewn gwledydd tramor megis Unol
Daleithiau America, Awstralia a Dwyrain Asia. Mae
wedi ymddangos hyd yn oed mewn casgliad o emynau
a gyhoeddwyd yn gyfan gwbl yn iaith Tseina.

Cyn gadael Llys-y-frân efallai y dylid sôn am yr argae
hefyd. Fe'i hadeiladwyd yn 1971 a'i ymhelaethu yn 1991
i ddal dwy fil a phedair miliwn o alwyni o ddŵr. Y mae'r
llyn, sydd dros 100 troedfedd o ddyfnder, ac wedi ei
boblogi â thua 30,000 o bysgod, yn atynfa i bysgotwyr o
bell ac agos. I'r sawl sy'n awyddus i ystwytho'r cyhyrau
a chadw'n heini, diddorol, a dweud y lleiaf, yw'r llwybr
natur wyth milltir o hyd sy'n ei dywys o amgylch y
gronfa ddŵr. 'Cwm Deri' yw enw'r siop grefftau sy'n
rhan o'r Ganolfan Ymwelwyr, Cymreigiad perffaith o
'Oak Valley', hen enw'r dyffryn ers talwm.

Ar lecyn hyfryd uwchlaw'r gronfa ddŵr y mae deial
haul a godwyd i goffáu Dilwyn Edwards, Prif Geidwad
Parc Gwledig Llys-y-frân am chwarter canrif. Fe'i
disgrifiwyd fel 'cyfaill pysgotwyr a chwedleuwr tan
gamp'. Brodor o Rosebush ydoedd yn wreiddiol, a bu ei
farw disyfyd yn 1997 yn sioc i'r gymdogaeth gyfan.
Gosodwyd mainc bren yn ymyl mynedfa'r tŷ bwyta; a
sefydlu cystadleuaeth bysgota flynyddol hefyd er cof
amdano.

Symudwn ymlaen o Barc Gwledig Llys-y-frân a dilyn y ffordd i bentre Maenclochog. Awn heibio tŷ Step-Inn ar y chwith gyferbyn â'r gyffordd sy'n mynd i gyfeiriad Arberth. Yma y ganed Jubilee Young y pregethwr huawdl a fu'n weinidog gyda'r Bedyddwyr ym Mhontypridd, Felinganol a Llanelli. Arhoswn ar y llecyn glas ar bwys cofeb y milwyr yn ymyl mynedfa Eglwys y Santes Fair. Cofeb ddienw ydyw a godwyd adeg Rhyfel y Gwlff i gofio am y bechgyn a gollodd eu bywyd yn rhyfeloedd y ganrif hon.

Maenclochog

Y mae tarddiad yr enw 'Maenclochog' (O.S. 084274) yn ddiddorol. Dywed Richard Fenton yn ei lyfr *Historical Tour through Pembrokeshire* (1811) fod dwy garreg fawr heb fod nepell o'r eglwys yn gwneud sŵn fel cloch wrth eu taro (hen ffurf luosog 'meini' oedd 'main'), ac mai'r cerrig hyn a roes i'r pentref ei enw. Ond dywed E. Llwyd Williams yn *Crwydro Sir Benfro* mai'r garreg gapan a ddefnyddid fel to ar Ffynnon Fair, ffynnon ddŵr y pentref ers talwm (a oedd hefyd yn gwneud sŵn fel cloch wrth ei tharo), a roes inni'r enw 'Maenclochog'. Ond roedd Waldo Williams yn arfer dweud mai ystyr 'clochog' mewn Gwyddeleg diweddar yw 'tir creigiog', ac ni fu erioed ddisgrifiad mwy cymwys o'r ardal hon.

Ta waeth am darddiad yr enw. Ar y ddau lecyn glas o bobtu i'r eglwys yr arferid cynnal y ffair. Dywed Fenton eto fod ffair Maenclochog yn un o ffeiriau mwyaf llewyrchus y wlad i gyd. Cynhelid hi ar y dydd Mawrth wedi'r trydydd dydd Llun ym mhob mis. Gelwid ffair

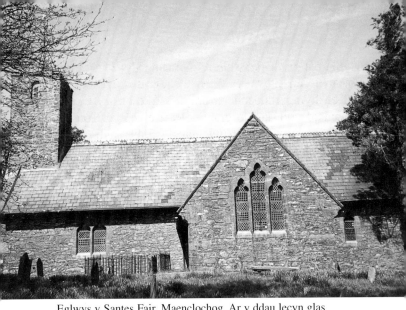

Eglwys y Santes Fair, Maenclochog. Ar y ddau lecyn glas
o bobtu i'r eglwys yr arferid cynnal y ffeiriau ers talwm.

mis Medi yn Ffair Gytuno a chyfrifid hon yn ffair go
bwysig. Yn y Ffair Gytuno yr oedd ffermwyr y
gymdogaeth yn mynd ati i chwilio am was neu forwyn
ar gyfer y flwyddyn ddilynol ac yn dod i gytundeb
ynglŷn â'r gyflog i'w thalu. Yn naturiol ddigon yr oedd
pob ffarmwr yn chwilio am rywun â thipyn o waith dan
ei groen, a'r gweision a'r morynion hwythau yn
awyddus i ddod o hyd i 'le da' (y term a ddefnyddid am
deulu hael eu prydau bwyd) i fod yn 'gartre' iddynt am
flwyddyn gyfan. Mae'r Ffair Gytuno bellach wedi
peidio â bod a daeth peiriannau enfawr a swnllyd i
gymryd lle'r gweision a'r morynion ar ffermydd y
gymdogaeth. Ond mae ffair bleser yma o hyd yn atynfa
i blant y cylch ym mis Medi.

Prin, at ei gilydd, yw hanes Maenclochog yn yr

18

Oesoedd Canol. Nid oes dim yn aros heddiw o'r castell a gipiwyd gan Llywelyn Fawr ac Owain Glyndŵr yn ystod eu hymgyrchoedd yn erbyn y Saeson a'r Eingl-Normaniaid ond darn o graig solet a elwir yn Craig y Castell wrth ymyl maes parcio capel y Tabernacl.

Ond y mae i bentre Maenclochog hanes gwâr ac urddasol hefyd. Un o brif 'orchestion' yr ardal yw iddi lwyddo i gadw gweinidogion ac offeiriadon am gyfnodau hir. Tri offeiriad yn unig, Thomas Walters, Stephen Howells a Tom Hamer, a fu'n gwasanaethu yn Eglwys y Santes Fair am 130 o flynyddoedd. Dau weinidog hefyd, Rees Perkins a Rhys Williams ei olynydd, a fu yn Eglwys Annibynnol yr Hen Gapel am gyfnod o 90 o flynyddoedd yn oes aur y pregethu a'r diwinydda yn hanner olaf y bedwaredd ganrif ar bymtheg a hanner cyntaf yr ugeinfed. Cyfoeswr iddynt hwy oedd Mathias Davies a fu'n weinidog Eglwys Fedyddiedig Horeb ar gyrion y pentre am 50 o flynyddoedd hefyd. Nid yw'n syndod i Mathias Davies ddweud yng nghyfarfod anrhegu Rhys Williams ar ddathlu ohono 50 mlynedd yn y weinidogaeth: "Mae'n siŵr y medrwn ni'n dau ategu geiriau Tennyson yn ei gerdd Saesneg 'The Brook':

> For men may come and men may go
> But we go on forever!

Bu D. Gerald Jones yn weinidog eglwysi'r Tabernacl a Llandeilo (a unodd gyda'r Hen Gapel yn ddiweddarach) o 1974 hyd 1996. Brodor o Horeb, Llandysul, ydyw yn wreiddiol, a gwnaeth lawer i hyrwyddo'r Efengyl drwy gyfrwng cyflwyniadau llafar a cherddorol yn ei eglwysi. Ef yw'r unig weinidog y gwn i amdano sy'n llunio englyn coffa i'w roi ar gerdyn angladd pob un o'i aelodau. Yn ogystal â bod yn englynwr y mae D. Gerald Jones hefyd yn fardd ac yn emynydd cynhyrchiol, a phriodol yw dyfynnu un pennill o'i emyn 'Mawl i Dduw am Fro'r Preseli' :

> Rhown glod i Dduw'r Creawdwr
>   Am dlysni'r fro a'i graen,
> Cadernid moel y mynydd
>   A'r rhostir di-ystaen,
> Mân frodwaith ei phentrefi
>   A'r myrdd coedwigoedd cân,
> Parc natur oll yn gyfan
>   Sy'n llawn syndodau glân.

Cyn gadael y pentre dylid sôn hefyd am yr Eisteddfod Gadeiriol lewyrchus sy'n cael ei chynnal yma bob Gŵyl Banc Calan Mai. Cychwynnwyd hi yn 1945 ac mae wedi parhau'n ddi-fwlch ers hynny. Eisteddfod ieuenctid ydyw yn bennaf a'r cystadlu'n para'n ddi-dor o un ar ddeg o'r gloch y bore tan tua dau o'r gloch y bore wedyn. Saif Neuadd yr Eglwys, lle cynhelir yr eisteddfod, uwchlaw cwm corsiog a gweundir diffaith, a bu'r eisteddfod ei hun yn fagwrfa i rai o dalentau disgleiriaf ein cenedl :

> Mae llain ir mewn gweundir gwyw, – ym mro'r hesg
>   Mae'r Gymraeg yn hyglyw;
>   Had ein talentau ydyw
>   A thyfiant diwylliant yw.

Wrth adael Maenclochog dilynwn y ffordd B4313 i gyfeiriad Abergwaun. Trown ar y dde i bentre bychan

Rosebush ac aros yn ymyl y Tafarn Sinc. Wrth ochr y dafarn y mae lleoliad yr hen orsaf. Y mae golwg ddeniadol arni heddiw ar ei newydd wedd gyda model o ddynes yn gwthio pram yn disgwyl am y trên na ddaw o unman. Mae'r orsaf go iawn wedi cau er 1949.

Gorsaf Rosebush fel y mae heddiw gyda model o wraig a baban mewn pram yn disgwyl y trên.

Y Gofeb yn Rosebush

Y tu arall i'r clawdd (ar dir preifat y maes carafanau) y mae'r gofeb o wenithfaen cochliw yn sefyll yn uchel yn yr awyr (O.S. 175293). Enwau Edward Cropper, ei briod Margaret a J.B. Macaulay sydd wedi eu hysgythru arni, ond mae'n garreg goffa hefyd i fenter, diwydiant a gweithgarwch ardal. Ar y dde fan hyn y mae olion yr hen chwarel lechi wedi naddu ei ffordd i odreon Foel Cwm Cerwyn. Y chwarel, mewn un ystyr, a roes Rosebush ar fap y wlad. Ni wyddys paham y bu i Edward Cropper, bonheddwr o Gaint, brynu'r chwarel yn 1869. Yr

Y gofeb yn Rosebush.

oedd yntau ar y pryd wedi ymddeol yn ŵr cyfoethog yn ei saithdegau cynnar; roedd ei iechyd yn fregus hefyd. Trwy gydweithrediad, ynni a dyfalbarhad ei lysfab, Joseph Macaulay, y gwnaed llwyddiant o'i fenter. Wrth fynd ati i ddatblygu'r chwarel fe sylweddolwyd yn fuan mai'r broblem fwyaf oedd y broses o gludo'r cynnyrch o'r chwarel i'r farchnad lechi.

Fe aethant ati yn ddiymdroi i adeiladu rheilffordd o Narberth Road (Clunderwen heddiw) i Rosebush. Roedd y rheilffordd, neu y Lein Fach fel y'i gelwid yn lleol, yn ymgysylltu â rheilffordd y GWR yng Nghlunderwen. Mae hanes ei hadeiladu yn un cyffrous.

22

Rhyw fagad o nafis dilywodraeth a wnaeth y rhan fwyaf o'r gwaith caib a rhaw. Ond erbyn Ionawr 1876 yr oedd y trên cyntaf yn dechrau cludo llechi o'r chwarel. Datblygwyd y gwasanaeth yn fuan i gynnwys trenau i gludo pobl hefyd a chyn diwedd y flwyddyn yr oedd trên teithwyr yn tuchan ei ffordd ar hyd wyth milltir o olygfeydd hyfryd rhwng Clunderwen a Rosebush. Gwefr i lawer oedd teithio ar y trên oedd yn aros yn y Bîg, Llan-y-cefn a Maenclochog i godi a gollwng cwsmeriaid cyn cyrraedd pen y daith.

Yr oedd yng ngogledd Sir Benfro 69 o chwareli llechi ar un adeg, gydag ansawdd a lliw'r llechi a gynhyrchid yn amrywio'n fawr. Gwyddys fod chwarel Rosebush yn gweithio yn 1842. Ond o dan law Edward Cropper y datblygodd i fod yn chwarel lewyrchus. Ar un adeg yr oedd dros 100 o weithwyr yn cael eu cyflogi i drin a thrafod y llechi, pan oedd galw mawr am

Olion chwarel Rosebush.

ddeunydd adeiladu i gyflenwi anghenion y trefi a'r pentrefi fel ei gilydd. Adeiladodd Cropper hefyd 26 o dai teras i'r gweithwyr yn Rosebush. Y Stryd oedd yr enw lleol arni. (Mae hi yma o hyd a'r tai bellach yn eiddo i berchenogion preifat.) Yn wir, fe ddatblygodd Rosebush mewn amser byr o fod yn ardal anghysbell i bedwar teulu (digon tlawd eu hamgylchiadau) i fod yn bentre prysur a phoblog. Fe aed ati hefyd i greu cronfa ddŵr i ddiwallu anghenion y pentre, ac mae'n wir fod gan drigolion Rosebush ddŵr tap yn y tŷ pan oedd pentrefwyr eraill gogledd Sir Benfro yn cario dŵr o'r ffynnon mewn stên a phiser.

Wedi marw Edward Cropper yn 1877 fe ailbriododd ei wraig, Margaret, â'r Cyrnol John Owen. Roedd yntau o dras teulu bonheddig yn Sir Benfro, ac fe wnaethant eu cartref yma yn *The Villa*, Rosebush. Joseph Macaulay a John Owen, gyda chefnogaeth frwd ei wraig Margaret, a fu'n dal yr awenau o hynny ymlaen. Eu breuddwyd oedd datblygu Rosebush yn ganolfan dwristaidd boblogaidd. Roedd yr holl adnoddau yma, golygfeydd ysblennydd, awyr iach y mynydd a gwasanaeth rheilffordd. Adeiladwyd dau lyn artiffisial o ddŵr ffynhonnau'r gweundir a rhoi pysgod ynddynt (maent yma o hyd) a threfnu gwasanaeth coets fawr i gludo ymwelwyr ar y trên cyn belled â thre Abergwaun. Adeiladwyd tafarndy'r Preseli hefyd – y Tafarn Sinc sydd yma heddiw ar ei newydd wedd yn ganolfan i ddiwylliant yr ardal. Ysywaeth, methiant llwyr fu'r ymdrech i ddatblygu Rosebush yn atynfa i dwristiaid yr adeg honno, a chyfaddefodd merch Joseph Macaulay flynyddoedd yn ddiweddarach i'r methiant dorri calon ei thad.

Dirywio'n raddol a wnaeth y diwydiant llechi yng

ngogledd Sir Benfro a chaewyd chwarel Rosebush yn gyfan gwbl yn 1905. Gwanychu a wnaeth y gwasanaeth rheilffordd hefyd er i'r lein gael ei hymestyn i gyrraedd harbwr Abergwaun. Hanes trist sydd i'r diwedd. Daeth y cwbl i ddwylo'r GWR a'r Rheilffordd Brydeinig a siwrneiodd y trên teithwyr olaf ar hyd y cledrau yn 1937. Daeth y trên nwyddau i ben hefyd yn 1949.

Efallai y dylid nodi fod dros 4,000 o filwyr Americanaidd yn gwersylla yn Rosebush yn ystod yr Ail Ryfel Byd. Mae'n wir hefyd mai mewn gornest answyddogol y tu allan i'r Tafarn Sinc y darganfuwyd potensial y paffiwr byd-enwog Rocky Marciano am y tro cyntaf. Ond stori arall yw honno.

Hwyrach y bydd rhai ohonoch yn gofyn sut yn y byd y mae pentref ynghanol y Preselau yn dwyn yr enw Saesneg 'Rosebush'. Dywed Dr B. G. Charles yn ei lyfr *The Place-names of Pembrokeshire* mai cyfuniad o'r enw Cymraeg 'rhos' a'r enw Saesneg 'bush' ydyw. Mae'n rhaid cyfaddef fod hwn yn ddisgrifiad cymwys o'r ardal. Ond clywais lawer o hen drigolion Rosebush yn dweud mai Rhos-y-bwlch oedd yr enw gwreiddiol a bod y gair 'bwlch' wedi mynd yn 'bush' ar dafodleferydd swyddogion Saesneg y chwarel ers talwm. Ta waeth. Wrth ffarwelio â'r gofeb Saesneg ei hiaith y mae'n deg dweud mai Saeson, o ran tras ac iaith hefyd, oedd y bobl a roes fywyd a hanes i'r pentre hwn.

Erbyn heddiw, fodd bynnag, y mae'r twristiaid wedi cael eu gafael ar y lle, a'r maes carafanau yn denu ymwelwyr o bell ac agos. Roedd Macaulay flynydd-oedd lawer o flaen ei oes. Ni ellir ond dychmygu bellach am y prysurdeb a'r gweithgarwch a fu'n gynhaliaeth i weithwyr y gymdogaeth pan oedd pentre bach fel Rosebush, ym mherfeddion y Preselau, yn ganolfan o bwys.

> Ond heddiw, does ond geiriau oer y gofeb
> I droi'r dychymyg tua'r dyddiau gynt,
> Y brain yn crawcian o agennau'r chwarel,
> A gorsaf wedi cau yn nwylo'r gwynt.

Dychwelwn o Rosebush i'r ffordd fawr gan gadw ar y chwith i gyfeiriad Maenclochog. Trown ar y chwith eto ar y gyffordd gyntaf, y tro hwn i gyfeiriad Crymych, ac aros ar ddarn o dir glas ar fin y ffordd.

Cofeb Joseph James 1878 – 1963

Yr ydym ynghanol moelni'r Preselau yn edrych i lawr ar bentre Maenclochog. Awn i mewn drwy'r glwyd i'r cae ar y dde a chanfod y garreg gaboledig sy'n sefyll yn urddasol yn ymyl y clawdd (O.S. 076287). Dyma gofeb y Parchedig Joseph James. Bu'n weinidog gyda'r Annibynwyr ym Methesda, Llawhaden, a Phisgah, Llandysilio, am dros hanner canrif. Brodor o Ddowlais yn Sir Forgannwg ydoedd yn wreiddiol a bu'n gweinidogaethu yn Nhon-pentre am ddwy flynedd cyn troi ei olygon tua Sir Benfro yn 1908.

Dyn mawr o ran maintioli ei gorff oedd Joseph James a'i wyneb bob amser yn serchog. Er gwaethaf yr atal dweud ar ei leferydd ni fu neb erioed yn berchen ar fwy o hiwmor a synnwyr digrifwch. Yr oedd bod yn ei gwmni yn donig i'r meddwl. Yr oedd wrth ei fodd hefyd yn adrodd ambell stori ddoniol a chic yn ei chynffon. Dyma un hanesyn o'i eiddo y bu llawer o adrodd arno yn y gymdogaeth:

Carreg Goffa Joseph James.

Un noson o aeaf fe aeth Joseph James allan am dro i gerdded ar y pafin ym mhentre Llandysilio. Pan oedd yn mynd heibio tafarn y Narberth Arms digwyddodd un o'i aelodau mwyaf selog yn y capel gamu allan drwy'r drws. Teimlodd hwnnw gywilydd mawr fod y gweinidog, o bawb, wedi ei weld yn dod allan o dŷ tafarn. A dyma fe'n ffugio rhyw esgus i gyfiawnhau ei ymweliad â'r Narberth Arms. Gwnaeth sŵn crygni mawr yn ei gorn gwddf:

'Y . . . y . . . y . . . O, Mr James bach, 'ma annwyd ofnadw arna i.'

A dyma Joseph James yn ei ateb ar ei ben, 'Oes, oes, *hen* annwyd!'

Joseph James.

Ond fel pregethwr y cofir amdano yn bennaf. Yr oedd ei bregethau, bob amser, yn llawn o ddarluniau a chartwnau trawiadol. Un funud yr oedd y pregethwr yn chwerthin hyd nes bod asgell y pulpud yn siglo, a'r funud nesaf yr oedd yn crio'n hidl a'r dagrau'n llifo i lawr ei fochau. Yr oedd yn feistr ar gyffwrdd y gynulleidfa. Uchafbwynt ei yrfa fel gweinidog oedd cael ei ddyrchafu yn Llywydd Undeb yr Annibynwyr yn y Bala, 1951, a chafodd fyw i oedran teg o 85 mlwydd oed.

'Ond', meddech chi, 'pam codi cofeb i weinidog a dreuliodd y rhan fwyaf o'i oes yn byw ar y *landsker* yma ar lethrau'r Preselau?' Darllenwch y geiriau ar y garreg:

Cadwodd fur Preselau rhag y bwystfil

llinell wedi ei chodi o gerdd enwog Waldo Williams. Mae'r stori'n dechrau ar ddiwedd yr Ail Ryfel Byd pan oedd y Swyddfa Ryfel yn bwriadu meddiannu 16,000 o erwau'r Preselau at ddibenion milwrol. Mae gennyf frith gof am fy nhad, pan oeddwn yn fachgen bach, yn mynd o gwmpas ffermdai'r ardal â bocs tun yn ei law i gasglu arian i dalu bargyfreithiwr i amddiffyn y fro. Fedra i byth anghofio, ychwaith, y wên orfoleddus ar ei wyneb fisoedd yn ddiweddarach, wrth fynd â'r un bocs tun o gwmpas yr un ffermydd, i fynd â'r arian yn ôl i ffermwyr a thyddynwyr godre'r mynydd am nad oedd eu hangen mwyach. Do, cododd trigolion y broydd hyn yn gadarn yn erbyn y penderfyniad a bu'n rhaid i'r Swyddfa Ryfel roi'r gorau i'w bwriad oherwydd gwrthwynebiad y bobl leol. Bu nifer o weinidogion y cylch yn amlwg yn y frwydr i amddiffyn y fro ac yr oedd Joseph James yn un o brif arweinwyr yr ymgyrch. Wedi ei farw yn 1963 gwasgarwyd ei lwch ar y llecyn hwn a chodi cofeb iddo ar y tir y gwnaeth yntau gymaint i'w ddiogelu. Cof plentyn sydd gennyf amdano:

> A'r pymtheg stôn o hiwmor Bethesda,
> yswain y pulpud Cymraeg,
> ac eira pedwar ugain gaeaf yn ei wallt
> yn toddi'n ddiferion o chwerthin dros ei fochau.
> Ysgytiwr y cynulleidfaoedd mawr
> a chymeriadau ei bregethau cartwnaidd
> yn toddi bywyn y calonnau gwenithfaen;
> cyn gadael ei enaid yn nwylo'r dorf
> i'w wasgar ar fronnydd y gwynt.

Dilynwn yr un ffordd eto am ryw ddwy filltir heibio i dir diffaith a gweundir agored. Daw'r faled a luniais rywdro i Ferched Beca i ganu'n y cof:

> Dos eto gam, a gwêl o'th flaen
> Glynsaithmaen is y moelydd,
> Y ffermdy cudd dan gangau'r ynn
> A'i drem ar fryn Talmynydd,
> O dan ei do mae senedd bro
> A therfysg gwlad ar gynnydd.

A dyma gyrraedd ffermdy Glynsaithmaen yn hanner cuddio ynghanol y coed uchel ar y dde i'r ffordd droellog. Rhwng muriau'r ffermdy hwn, yn ôl yr hanes, y trefnwyd yr ymgyrch gyntaf i chwalu tollborth Efailwen ar ddechrau Terfysgoedd Beca yn y bedwaredd ganrif ar bymtheg. Cawn gyfle i sôn yn fanylach am yr helynt cyn diwedd y daith.

Cofeb W. R. Evans 1910 – 1991

Cofeb W. R. Evans sy'n hawlio ein sylw yn bennaf yn y llecyn hwn – darn o garreg las y Preselau yn sefyll yn urddasol wrth y fynedfa sy'n arwain i glos y ffarm (O.S. 114307). Yn nhyddyn Dan-garn, rhyw filltir o'r fan hon, y ganed W. R., ond yma yng Nglynsaithmaen y magwyd ef. Fe'i haddysgwyd yn Ysgol Mynachlog-ddu, Ysgol Ramadeg Aberteifi a Choleg y Brifysgol, Bangor. Bu'n athro yn Ysgol Gynradd Abergwaun ac yn brifathro Ysgol Bwlch-y-groes, Sir Benfro (1938-59), ac Ysgol Gymraeg Sant Ffransis, Y Barri (1959-61). Wedi cyfnod o bum mlynedd fel darlithydd yng Ngholeg Addysg y Barri dychwelodd i Sir Benfro yn 1966 i fod yn Drefnydd Iaith ac Arolygwr Ysgolion.

Yr oedd W. R. yn gwmnïwr di-ail. Ni allech fod ar ei gyfyl heb wrando arno yn adrodd storïau digri a throeon trwstan o bob math. Nid yw'n deg sôn amdano ychwaith heb gyfeirio at o leiaf un o'r hanesion doniol allan o'r cannoedd oedd ganddo wrth ei benelin. Dyma'r hanes amdano ef a Ben, gwas Glynsaithmaen, yn mynd allan am noson o sbri pan oedd y ddau yn oedran caru. Galwasant mewn caffi yn nhre Caerfyrddin gan fwriadu prynu paned o de i dorri syched. Ond yn sydyn dyma'r ddau yn newid eu meddwl ac yn penderfynu cael pryd go lew o fwyd.

'Ych chi eisiau'r *menu*?' meddai'r weinyddes.

'Na,' meddai Ben. 'Pryd o fwyd gynta' a menyw wedyn!'

Ond bu cyfraniad W. R. i ddiwylliant ei genedl yn amhrisiadwy. Cofir ef yn bennaf, efallai, fel arweinydd Côr Bois y Frenni. Parti noson lawen o ardaloedd Crymych a Bwlch-y-groes oedd y 'Bois' a ffurfiwyd yn

Ar adeg dadorchuddio cofeb W. R. Evans. Ei wyresau yw'r tair merch fach ar y llwyfan.

1940 gyda'r bwriad o godi calonnau cynulleidfaoedd y cyngherddau yn ystod dyddiau tywyll yr Ail Ryfel Byd. W. R. oedd yr arweinydd a'r hyfforddwr. Ef hefyd oedd yn cyfansoddi'r geiriau ar gyfer y caneuon, a daeth llawer ohonynt megis 'Enwi'r Llo', 'Basned o Fara Te', 'Anti Henrieta o Chicago' a'r 'Blac Owt' yn adnabyddus drwy Gymru benbaladr ar sail eu digrifwch a'u doniolwch. Cynhaliodd Bois y Frenni dros fil o gyngherddau ar hyd a lled y wlad cyn i W. R. ei throi hi tua'r Barri. Cyhoeddwyd y caneuon hefyd mewn dwy gyfrol yn dwyn y teitl *Pennill a Thonc* a *Hwyl a Sbri.*

Cafodd W. R. fywyd amrywiol a diddorol iawn a rhoes inni ddarlun byw o'i yrfa yn ei hunangofiant *Fi yw Hwn.* Mae'n gyfrol sy'n fwrlwm o hiwmor drwyddi draw. Ond nid digrifwr yn unig mohono ychwaith. Yr oedd yn fardd medrus yn y mesurau caeth a rhydd ac y mae nodyn o ddwyster a thristwch yn perthyn i'w farddoniaeth orau. Ymdeimlo ag athroniaeth gwerinwyr y pridd, efallai, yw'r thema amlycaf yn ei gyfrol o gerddi *Awen y Moelydd.* Ond y mae yma ddychan deifiol hefyd ar y gymdeithas faterol, hunan-foddhaus yn y byd sydd ohoni. Yn ogystal â bod yn arweinydd eisteddfodau mawr a mân, yn ddarlithydd ac yn ddarlledwr mynych, yr oedd W. R. Evans yn un o brif hyrwyddwyr tafodiaith Gogledd Sir Benfro. Enillodd yn y Genedlaethol droeon ar y gerdd mewn tafodiaith a chyhoeddodd gyfrol amrywiol ei chynnwys o farddoniaeth a rhyddiaith yn nhafodiaith ei sir enedigol. *Cawl Shir Bemro* yw'r teitl, ac mae'n gawl blasus hefyd.

Ni ellir sôn am W. R. ychwaith heb grybwyll ei ddwy gomedi gerdd. Cyfansoddwyd *Cilwch Rhag Olwen* ganddo ar gyfer ei pherfformio yn Eisteddfod

Genedlaethol Hwlffordd 1972. A phwy o'r gynulleidfa a all anghofio Olwen, y wraig hyll yr oedd yn rhaid i bawb, gan gynnwys ei gŵr, gilio rhag ei chynddaredd? *Dafydd a Goliath* oedd teitl y gomedi gerdd arall a ysgrifennwyd ganddo ar gyfer Eisteddfod Genedlaethol Aberteifi 1976, ac yr oedd rhai o'r cymeriadau annisgwyl megis Abwd ab Dwla (un o gyfoethogion yr olew), y robot ar ddelw dyn a Chadeirydd Cyngor Sir Defed, yn peri i'r gynulleidfa rowlio chwerthin o'r dechrau i'r diwedd. Cyfansoddiadau alegorïaidd ydynt yn ymdrin â nifer o faterion cyfoes mewn dull hwyliog a gogleisiol.

Ond gwladwr oedd W. R. Evans o'i gorun i'w sawdl. Roedd y pridd yn drwm wrth ei wadnau; ac mae'n briodol mai englyn milwr o'i waith ef ei hun sydd ar y garreg goffa:

> I ymuno â'r mynydd
> Yn ddwst dychwelaf ryw ddydd
> At ei gôl bentigilydd.

Cyn ffarwelio â'r gofeb priodol hefyd yw darllen un delyneg syml o'i eiddo. 'Ar y Dalar' yw'r teitl a phortread sydd yma o ddyddynnwr yn ei henaint wedi diwrnod caled o waith. Diau mai hon oedd y math o gymdeithas yr oedd W. R. yn gyfarwydd â hi yng Nglynsaithmaen ers talwm:

> Tincial tidau y gaseg goch
>   Ar awel hyfryta'r hwyr,
> A Guto gam yn ei glocsen bridd
>   Yn ddistaw gan ludded llwyr.

34

Ni ddyry drem dros y grwn cyn mynd,
　　Fel y gwnaeth yn ei febyd ir,
Rhy hwyr i unioni ei gwysi cam, -
　　Diolched am gyrraedd pen tir.

Ni esyd glwyd ar y bwlch fel cynt
　　Rhag trosedd anifail hy;
Mae croeso i rywbeth lyfnu'r graith, -
　　Mae Guto'n mynd am y tŷ.

Guto gam yn ei glocsen bridd
　　Yn ddistaw gan ludded llwyr,
A thincial tidau y gaseg goch
　　Ar awel hyfryta'r hwyr.

W. R. Evans ar ymweliad
â Glynsaithmaen yn 1980.

Patshyn Glas

Wedi gadael Glynsaithmaen nid oes ond milltir gota i gilfach barcio Patshyn Glas (O.S. 127308). Dyma enw sy'n ei esbonio ei hun – darn o dir glas ar fin y ffordd o dan gysgod trum Talmynydd. Mae holl gyfaredd y Preselau i'w deimlo yn y llecyn hwn. Y Preselau, ie, dyma enw sy'n digwydd yn *Llyfr Gwyn Rhydderch*, y casgliad cynharaf sydd gennym o chwedlau'r *Mabinogion*. Fe'u copïwyd yn hanner cyntaf y bedwaredd ganrif ar ddeg. Mae tarddiad ac ystyr yr enw Preselau yn ddiddorol hefyd. Yn ôl rhai ysgolheigion, amrywiad yw 'pres' (yr elfen gyntaf) ar y gair 'prys' sy'n golygu 'coed mân' neu 'brysgwydd'. Yr enw priod 'Selyf' (amrywiad ar Solomon) yw'r ail elfen. Diau fod Selyf a Selau yn ffurfiau cyfystyr yr un fath â chleddyf a chleddau. Felly, 'coed mân Selau' yw ystyr yr enw Preselau.

Myn eraill mai Preseli yw'r ffurf gywir. Sail eu damcaniaeth hwy yw mai amrywiad ar y gair 'prysyl' yw 'presel', sydd eto yn golygu 'coed mân'. Y dull mwyaf cyffredin o luosogi geiriau Cymraeg lluosill sy'n cynnwys 'e' yn y sillaf olaf yw ychwanegu'r ôl-ddodiad *i* ato. Er enghraifft, ffurf luosog 'capel' yw 'capeli'. Felly, yn yr un modd, lluosog presel yw preseli.

Gadawn i'r ysgolheigion a'r gramadegwyr ddadlau ynghylch yr ystyr a mwynhau balm yr awel iach ar y llethrau. Mae'n amlwg mai enw ar un lle oedd y Preselau yn y *Mabinogion* ond erbyn heddiw y mae wedi datblygu i fod yn enw ar ardal eang o fynyddoedd, bryniau a chernydd. Dyma enwau rhai o'r trumau amlycaf: Foel Cwm Cerwyn, Foel Eryr, Foel Feddau, Garn Afr, Cnwc yr Hwrdd, Cerrig Marchogion, Talmynydd, Garn Bica,

Garn Arthur, Garn Siân, Garn Ferched, Garn Meini, Garn Gyfrwy, Bwlch Ungwr, Foel Drigarn, Garn Goediog, Garn Breseb, Garn Alw, Foel Dyrch, Crugiau Dwy, Crug yr Hwch, Frenni Fawr, Frenni Fach, Cnwc y Barcud, Cnwc yr Hydd, Banc Du, Carn Ingli. Dyma goflaid o restr yn wir. Llwybrau cyfarwydd y bugeiliaid, a'r cerddwyr chwilfrydig erbyn hyn.

Cerrig Meibion Arthur

Ond dychwelwn at y tir o dan ein traed. Dyma fro Arthur y Preselau. Y meini chwedlonol a'r cerrig llên gwerin sy'n hawlio ein diddordeb yn y parthau hyn. Dacw Gerrig Meibion Arthur (O.S. 118310) fel dau biler ar y gweundir wrth odre'r mynydd rhyngom a ffarm Glynsaithmaen. Ni allwn beidio eu cysylltu â chwedl 'Culhwch ac Olwen' yn y *Mabinogion*. Dywed y chwedl fod y Twrch Trwyth wedi glanio ym Mhorth

Cerrig Meibion Arthur.

Clais ger Tyddewi a'i bwrw hi am y Preselau. Baedd gwyllt oedd y Twrch ac yr oedd yn rhaid i fachgen o'r enw Culhwch ddod o hyd i'r ellyn, y gwellaif a'r grib oedd rhwng ei ddau glust cyn y câi briodi merch hardd o'r enw Olwen. Dyma'r amodau a osodwyd gan Ysbaddaden Bencawr, tad y ferch yr oedd Culhwch yn ei chwennych yn gymar oes. Fodd bynnag, fe gafodd y bachgen penderfynol gymorth Arthur a'i filwyr i hela'r Twrch. Daethant o hyd iddo ar y Preselau a bu brwydr ffyrnig rhwng y ddwy garfan, Arthur a'i luoedd ar y naill law, a'r Twrch a'i berchyll ar y llaw arall. Lladdwyd un o feibion Arthur ei hun yn y gyflafan, a dywed llên gwerin yr ardal mai cofebau i feibion Arthur yw'r ddwy garreg arw ar rostir Glynsaithmaen. Yn ôl pob tebyg, traddodiad onomastig sydd yma, sef yr arfer o ddyfeisio stori i esbonio enw lle.

Model o'r Twrch Trwyth yn Ysgol y Preseli.

Cerrig Marchogion

Os edrychwn ar gopa'r mynydd y mae rhes o gerrig yn britho'r gorwel. Gweddillion llosgfynydd ydynt ac fe'u gelwir yn Gerrig Marchogion Arthur (O.S. 110322). Dywed chwedl Culhwch eto fod y Twrch wedi cilio i Gwm Cerwyn a sefyll ei dir. Yma y bu'r frwydr ffyrnicaf oll. Lladdwyd rhai o'i berchyll a lladdwyd nifer o filwyr Arthur hefyd cyn i'r Twrch ddianc eto i gyffiniau Aber Tywi. Mae'n ymddangos mai enw arall a ddyfeisiwyd i esbonio'r stori yw Cerrig Marchogion hefyd.

Bedd Arthur

Wrth sefyll ym Mhatshyn Glas mae copa Talmynydd rhyngom a Charn Bica. Wrth droed Garn Bica mae Bedd Arthur – cylch crwn o dair carreg ar ddeg (O.S. 131325). Ar ddiwrnod clir mae dilyn y llwybrau defaid i'r rhan hon o'r Preselau yn siwrnai gwerth chweil. Yn anffodus, fe fyddem yn dod ar draws cofeb a godwyd i goffáu chwech o awyrenwyr a gollodd eu bywydau mewn damwain awyren adeg yr Ail Ryfel Byd. Gresyn fod y Rhyfel wedi gadael ôl ei anfadwaith yng nghyntefigrwydd y bryniau o bobman. Ond sôn am Fedd Arthur yr oeddem.

Y mae'r enw'n gysylltiedig â'r syniad o Fab Darogan. Enw yw'r Mab Darogan ar yr arwr a fydd yn dod rhyw ddydd i waredu'r genedl o'i chyfyngder. Gan amlaf y mae'n gyrru'r Saeson allan o'r wlad ac weithiau yn hawlio sofraniaeth Ynys Prydain. Cynan a Chadwaladr oedd enwau'r Mab Darogan yn ein barddoniaeth gynharaf. Newidiwyd ei enw i Owain yng ngwaith cywyddwyr yr Oesoedd Canol. Hwyrach fod enwau Owain Gwynedd, Owain Lawgoch ac Owain

Bedd Arthur.

Glyndŵr yn fyw iawn yng nghof y bobl. Onid priodoli'r syniad o Fab Darogan â llinell o waith bardd anhysbys a wnaeth Dafydd Iwan hefyd yn ei gân wladgarol,

> O! mi wn y daw Owain yn ôl...
> Myn Duw, mi a wn y daw.

Fodd bynnag, mewn cyfnod diweddarach, Arthur oedd yr enw mwyaf poblogaidd o lawer ar y Mab Darogan. Dyma bennill cyntaf cerdd adnabyddus Elfed, 'Arthur gyda Ni':

> Mae Arthur Fawr yn cysgu,
>   A'i ddewrion sydd o'i ddeutu,
>   A'u gafael ar y cledd:
> Pan ddaw yn ddydd yng Nghymru,
> Daw Arthur Fawr i fyny
>   Yn fyw – yn fyw o'i fedd!

Y syniad sydd yma o Arthur fel arwr yn cysgu mewn bedd neu mewn ogof yn disgwyl i rywun ei ddeffro a'i alw i ryddhau'r Cymry o'u caethiwed a'u gormes. Yn rhyfedd iawn, nid ar y Preselau yn unig y mae Bedd Arthur wedi ei leoli. Y mae ganddo nifer o feddau eraill ar hyd a lled Cymru. Nid yw'n syndod ychwaith i Gwenallt ddweud rywdro, 'Y mae'n biti garw ei fod e'n cysgu mor drwm!'

Y Garreg o Garn Meini (138304)

Symudwn ymlaen o Batshyn Glas a theithio ryw hanner milltir ar hyd y ffordd gul i gomin Rhos-fach ar gyrion pentre Mynachlog-ddu. Y mae dwy garreg yn hawlio ein sylw o boptu i'r heol (O.S. 138304). Dechreuwn ar yr ochr chwith. Carreg las o lethr Garn Meini yw hon. Edrychwn tua'r mynyddoedd dros dir eang agored. Y mae Arthur yn ein dilyn i bobman. Dacw Goetan Arthur, carreg enfawr yn gorwedd ar oledd Garn Arthur. Dywed traddodiad y fro eto fod y Brenin Arthur wedi taflu'r garreg hon â nerth ei fraich o gae ar ffarm Castell Henri yn ardal Tufton ac iddi ddisgyn yma, saith milltir i ffwrdd, ar y Preselau. Nid oes prinder chwedlau o bob math yn yr ardal hon!

Carreg Ymddiriedolaeth Ymchwil Cystic Fibrosis ar gomin Rhos-fach.

Carreg yr Allor

Edrychwn tua Charn Meini (neu Garn Menyn yn iaith pobl Mynachlog-ddu). Ar gyrion y pentwr mawr o gerrig gleision saif Carreg yr Allor (O.S. 145324). Ni ellir ei gweld â'r llygad noeth o'r fan hon. Rhaid i'r teithiwr chwilfrydig ddilyn y llwybrau defaid eto i'w darganfod â'i lygaid ei hun. Darn o garreg lydan lefn yw Carreg yr Allor ac y mae hanes iasoer yn perthyn iddi. Yn ôl llên gwerin yr ardal yr oedd trigolion Oes y Cerrig yn arfer aberthu cnawd dynol i'r duwiau ar y garreg hon. Oes baganaidd, ofergoelus oedd hi, ac yr oedd rhaib yr elfennau megis stormydd geirwon a mellt a tharanau yn peri dychryn i'r llwythau na wyddent mo'u hystyr. Tybient fod y duwiau wedi eu cynddeiriogi. Credent hefyd fod aberthu'r ferch harddaf a berthynai i'r llwyth ar allor y garreg hon yn fodd i ddofi llid yr hen dduwiau paganaidd. Bûm yn gorwedd ar led fy nghefn droeon ar Garreg yr Allor ac yn

Carreg yr Allor.

dychmygu rhywun yn gwthio cyllell i'r galon!
Weithiau, y mae cynnwys yr hen chwedlau yn dod yn
fyw o flaen ein llygaid:

> Addolwyr boreau'n byd
> yn crynu'n gegrwth o dan lach y daran . . .
> yn taflu merch noethlymun ar allor o garreg . . .
> y bicell yn ddiferion o waed . . .
> a'r duw boddhaus yn tagu'r storm.

Y Garreg o Garn Meini

Y tu ôl i Garreg yr Allor y mae cruglwyth cerrig Garn
Meini. Cerrig o'r fangre hon, yn ôl y daearegwyr, sy'n
ffurfio rhan o deml fyd-enwog Côr y Cewri ar
Wastadedd Caersallog yn Lloegr. Y mae'r deml hon yn
un o ryfeddodau byd dynion. Credir iddi gael ei
hadeiladu mewn tri chyfnod gwahanol yn ymestyn dros
y canrifoedd o tua 2800 C.C. hyd 1400 C.C. Ni wyddys
pwy oedd y duwiau yr oedd gan bobl Oes y Cerrig
gymaint o barch iddynt, nac ychwaith pa fath o
seremonïau a gynhelid rhwng y cylchoedd o feini. Y
syndod mawr yw mai carreg las y Preselau yw rhyw 80
o'r meini hirion (tua 4 tunnell yr un) sy'n ffurfio'r rhan
o gylch a phedol y deml yn *Stonehenge.* Perthyn i ail
gyfnod yr adeiladu (tua 1700) y mae cerrig Garn Meini.
Nid oes neb yn gwadu mai cerrig y Preselau ydynt ond
sut yn y byd y cludwyd y meini enfawr o'r gymdogaeth
hon i Wastadedd Caersallog pan nad oedd gan ddyn
unrhyw ddyfais ond nerth ei fraich? Mae'n bellter o 140
o filltiroedd hyd yn oed fel y mae'r frân yn hedfan.

Y mae dwy farn yn bodoli. Cred rhai haneswyr iddynt
gael eu symud gan lifeiriant Oes yr Iâ a'u codi'n

Côr y Cewri.

ddiweddarach i ffurfio rhan o'r deml. Cred eraill (y mwyafrif o'n haneswyr) iddynt gael eu symud â nerth braich y dyn cyntefig. Yn ôl eu damcaniaeth hwy cafodd y cerrig eu dwyn o Garn Meini ar ryw fath o geirt llusg (rholbrenni) i hafan Aberdaugleddau, a'u cludo ar rafftiau wedyn ar draws y môr ac ar hyd afonydd Avon, Frome, Wylyle a Nadder, o fewn dwy filltir i'r fan lle safant heddiw. Gwnaed arbrawf diddorol gan y B.B.C. yn 1954 i brofi fod hyn yn bosibl.

Yn 1989 trefnodd Ymddiriedolaeth *Ymchwil Cystic Fibrosis* i hofrennydd Chinook godi dwy garreg arall o Garn Meini. Gadawyd y garreg hon i sefyll yma i goffáu'r fenter, ac aethpwyd â'r llall mewn lorri yr holl ffordd i Wastadedd Caersallog fel rhan o'r ymgyrch codi arian. Ond y mae hanes yr hen deml gerrig sy'n denu heidiau dirifedi o dwristiaid i Gôr y Cewri i'w gweld bob blwyddyn yn dal i fod yn ddirgelwch.

Hen blant i Preseli!
Wês hireth arnoch chi weithe am ga'l mynd nôl
At ich perthnase ing nghwmdog'eth Gar' Meini
I weld ir houl in mynd lawr dros ben Dinas
Fel colsyn o dân i'r môr?
A ma' digon o le ichi in i tai gwag
Sy' pentigily' o Efel-wen i Tudra'th.

Peidiwch â becso, hen blant i minidde glas,
Ddim dim ond chi sy'n gorffod mynd o gatre
Heb obeth byth ca'l dwâd nôl.

Mor hawdd yw gweld tebygrwydd rhwng yr hen feini hynafol a thynged llawer o bobl ifanc ein dyddiau ni.

Damcaniaeth arall ynghylch amcan a phwrpas Côr y Cewri yw mai rhyw fath o ganolfan seryddol ydoedd. Yma, yn ôl tyb rhai arbenigwyr, yr oedd ein 'gwyddonwyr cynnar' yn astudio'r wybrennau ac yn arsylwi ar safleoedd yr haul, y lleuad, y sêr, a hynt y tymhorau. Mae hon yn ddamcaniaeth ddiddorol sydd hefyd, ar lawer ystyr, yn dal dŵr.

Cofeb Waldo Williams 1904 – 1971

Ond gyferbyn â'r garreg arw hon y mae carreg gaboledig ac urddasol ei diwyg (O.S. 138304). Croeswn y ffordd i weld cofeb Waldo Williams, y Cristion, yr heddychwr a'r athrylith o fardd. Ganed ef yn nhre Hwlffordd yn 1904. Saesneg oedd iaith yr aelwyd. Yr oedd ei dad yn brifathro Ysgol Prendergast, a phan oedd Waldo yn saith oed, symudodd i fod yn brifathro Ysgol Mynachlog-ddu. Wedi i'r teulu symud i'r ardal hon, wrth siarad a chwarae â phlant y gymdogaeth, y dysgodd Waldo Gymraeg. Symud a fu hanes y teulu eto ymhen pedair blynedd pan gafodd y tad ei benodi yn brifathro Ysgol Brynconin yn Llandysilio.

Cafodd Waldo yrfa ddisglair fel disgybl yn Ysgol Ramadeg Arberth ac wedi iddo raddio mewn Saesneg yng Ngholeg y Brifysgol, Aberystwyth, dychwelodd i'w sir enedigol i fod yn athro ysgol. Treuliodd y rhan helaethaf o'i oes yn dysgu mewn ysgolion cynradd yn Sir Benfro. Bu'n athro hefyd yn Ysgol Uwchradd Botwnnog ac mewn rhai ysgolion yn Lloegr cyn dychwelyd i Sir Benfro drachefn i fod yn ddarlithydd dan nawdd Adran Efrydiau Allanol y Brifysgol. Treuliodd flynyddoedd olaf ei oes yn dysgu'r Gymraeg fel ail iaith yn ysgolion Abergwaun ac Wdig.

Yr oedd Waldo yn genedlaetholwr ac yn heddychwr digymrodedd. Cyffrowyd ef yn fawr gan Ryfel Korea a gwrthododd dalu treth incwm fel protest yn erbyn gorfodaeth filwrol. Gorchmynnwyd y beili i fynd â'i holl eiddo o'i gartref yn Johnston ger Hwlffordd a bu'n rhaid iddo ddioddef cyfnod o garchar ddwywaith. Ni thalodd Waldo yr un ddimai goch i goffrau'r Trysorlys tan i'r gorfodog olaf gael ei ryddhau o'r Lluoedd Arfog yn 1963. Yr oedd yn berson hynod o ddiymhongar ac addfwyn ei bersonoliaeth. Ergyd fawr iddo fu colli ei wraig wedi llai na blwyddyn o fywyd priodasol. Brwydrodd yn ddewr yn erbyn afiechyd ar hyd ei oes ac yr oedd ei hiwmor a'i ledneisrwydd yn iechyd calon i bawb a'i hadnabu.

Dyma un hanesyn amdano sy'n crynhoi ei gymeriad yn daclus a chryno. Safodd Waldo fel ymgeisydd Plaid Cymru yn etholaeth Sir Benfro adeg etholiad 1959. Nid oedd yn wleidydd wrth reddf, ac yr oedd D. J. Williams, Abergwaun, yn mynd gydag ef i'r cyfarfodydd canfasio i ateb cwestiynau'r gynulleidfa. Un tro yr oedd galw ar

Cofeb Waldo Williams.

Waldo i fynd i annerch cyfarfod mewn ardal amaethyddol yng nghyffiniau tref Penfro, ac am ryw reswm roedd D. J. yn methu â bod yno. Wedi iddo orffen ei araith dywedodd Waldo nad oedd yn hyddysg o gwbl ym myd amaethyddiaeth ond os oedd gan rywun gwestiwn i'w ofyn y gwnâi ei orau i'w ateb. Cododd rhyw ffarmwr yng nghefn y neuadd a gofyn 'How many ribs has a pig?'

Atebodd Waldo ef ar ei ben: 'To be honest I don't know. But if you'll bring one forward I am prepared to count them!'

Brawdoliaeth yw thema fawr barddoniaeth Waldo Williams. Roedd y berthynas rhwng dyn a dyn yn hanfodol bwysig iddo. Tir a daear Sir Benfro yw ffynhonnell y rhan fwyaf o'i gerddi a'i ddelweddau fel ei gilydd. Y mae naws bersonol, astrus weithiau, i'w

47

farddoniaeth orau. Cyhoeddodd ei unig gyfrol o gerddi, *Dail Pren*, yn 1956 a bwriadai Waldo i'w chynnwys fod 'yn gymorth ymarferol i'r genedl yn nryswch yr oes'. Ei gerddi mwyaf poblogaidd, efallai, yw'r telynegion 'Cofio' ac 'Y Tangnefeddwyr'. Ond mae'n deg dweud mai'r cerddi myfyrdodus, cyforiog eu cynnwys a'u delweddaeth, sy'n mynd i'r afael â thynged y ddynoliaeth gyfan fel 'Mewn Dau Gae' a 'Preseli' yw ei farddoniaeth ddisgleiriaf. Pennill cyntaf 'Preseli', sydd ar y gofeb ac fe'i hysgrifennwyd pan oedd y Weinyddiaeth Amddiffyn yn bwriadu meddiannu'r ardal yn faes tanio i'r Fyddin. Roedd Waldo yn alltud yn Lloegr ar y pryd ac yr oedd meddwl am weld gwerthoedd bro ei febyd – y frawdoliaeth glòs a fodolai ymhlith y tyddynwyr yn diflannu o'i hen gynefin, yn loes calon iddo. Ple sydd yma am ddiogelu'r dreftadaeth yn wyneb y bygythiad estron. Y mae'r gerdd yn werth ei dyfynnu yn ei chrynswth:

Mur fy mebyd, Foel Drigarn, Carn Gyfrwy, Tal Mynydd,
Wrth fy nghefn ym mhob annibyniaeth barn.
A'm llawr o'r Witwg i'r Wern ac i lawr i'r Efail
Lle tasgodd y gwreichion sydd yn hŷn na harn.

Ac ar glosydd, ar aelwydydd fy mhobl -
Hil y gwynt a'r glaw a'r niwl a'r gelaets a'r grug,
Yn ymgodymu â daear ac wybren ac yn cario
Ac yn estyn yr haul i'r plant, o'u plyg.

Cof ac arwydd, medel ar lethr eu cymydog.
Pedair gwanaf o'r ceirch yn cwympo i'w cais,
Ac un cwrs cyflym, ac wrth laesu eu cefnau
Chwarddiad cawraidd i'r cwmwl, un llef pedwar llais.

Fy Nghymru, a bro brawdoliaeth, fy nghri, fy nghrefydd,
Unig falm i fyd, ei chenhadaeth, ei her,
Perl yr anfeidrol awr ar wystl gan amser,
Gobaith yr yrfa faith ar y drofa fer.

Hon oedd fy ffenestr, y cynaeafu a'r cneifio.
Mi welais drefn yn fy mhalas draw.
Mae rhu, mae rhaib drwy'r fforest ddiffenestr.
Cadwn y mur rhag y bwystfil, cadwn y ffynnon rhag y baw.

Roedd Waldo yn Gristion pybyr hefyd ac fe ymunodd
â'r Crynwyr ar ôl iddo ddychwelyd o Loegr i Sir
Benfro. Bu farw ar ddiwrnod hyfryd o wanwyn yn 1971
a chladdwyd ei weddillion ym mynwent Blaenconin.
Ysgrifennwyd nifer o gyfrolau sylweddol yn ymdrin â'i
fywyd a'i waith ar ôl ei farw, ac fe'i cyfrifir yn un o
feirdd mwyaf y genedl.

Wedi gadael comin Rhos-fach a chyrraedd mynedfa
pentre Mynachlog-ddu trown ar y dde i gyfeiriad
Maenclochog a dilyn y ffordd am ryw hanner milltir.

Waldo.

49

Gors Fawr

Dyma gyrraedd Gors Fawr neu Gylch yr Orsedd fel y'i gelwid yn lleol (O.S. 135294). Oes, y mae yma gylch o gerrig, tebyg iawn o ran ei batrwm, i'r cylch o feini sy'n gysylltiedig â'r Eisteddfod Genedlaethol. Ond nid oes yma yr un Archdderwydd i'n cyfarch o'r Maen Llog. Nid oes yma orseddogion yn eu gwisgoedd llaes yn cynnal defod seremonïol ychwaith. Defaid mynydd yn pori'n dawel y tu fewn i'r cylch, efallai, yw aelodau'r Orsedd! A hwyrach mai cri'r gylfinir ar draws y gweundir yw'r unig sŵn sy'n ein hatgoffa o gyfarchion yr utgyrn a'r Corn Gwlad.

Ond na. Nid Cylch yr Orsedd ydyw. Ni chynhaliwyd yr Eisteddfod Genedlaethol erioed ym mhentre bychan Mynachlog-ddu. Cylch hirgrwn o 16 o gerrig igneaidd (llosgfeini) yw Gors Fawr. Mae'n ddiddorol sylwi fod y pellter neu'r mesuriadau sydd rhwng y cerrig yn amrywio o ryw wyth troedfedd i ddwy droedfedd ar bymtheg. Mae uchder y cerrig yn amrywio hefyd gyda'r talaf ohonynt tua 44 o fodfeddi uwchlaw'r ddaear. Sylwer hefyd fod dwy garreg arall tua chwe throedfedd o uchder a 16 o lathenni rhyngddynt wedi eu lleoli y tu allan i'r cylch i gyfeiriad y gogledd ddwyrain.

Ni wyddys i sicrwydd paham yr adeiladwyd y cylch deniadol hwn sy'n perthyn i gyfnod Oes yr Efydd. Ond mae'r rhan fwyaf o'r haneswyr a fu'n astudio ac yn archwilio'r safle yn argyhoeddiedig mai math o galendr carreg ydyw. Gwyddom fod ein cyndeidiau cyntefig wedi dyfeisio a datblygu dulliau effeithiol o amaethu. Y mae lle i gredu hefyd eu bod wedi dyfeisio rhai o elfennau sylfaenol ffiseg a mathemateg at ddibenion eu gwaith fel amaethwyr yn trin y tir a thyfu cynaeafau. Yr oedd gwybod yr amser priodol i hau a medi ŷd yn hollbwysig iddynt. Arferent wylio'r haul yn codi ar y gorwel gan nodi'r union leoliad ar wahanol adegau o'r flwyddyn. Gwnaent yr un fath â'r lleuad a'r sêr a'r planedau. Astudiaeth hir a sylwgarwch manwl a roes iddynt wybodaeth eang o batrwm a threfn yr wybren.

Cylch Gors Fawr sydd hefyd yn dangos y llinell o gerrig sy'n anelu at fwlch yn y gorwel lle mae Seren y Bugeiliaid yn codi i'r ffurfafen.

Bu llawer o drafod a damcaniaethu ynglŷn â swyddogaeth Gors Fawr. Dangosodd yr hanesydd Roger Worsley fod amcan a diben i bob un o gerrig y cylch. Wrth sefyll i'r de o'r garreg fwyaf (sydd hefyd yn garreg bigfain) ac edrych tua'r gogledd dros y garreg sydd gyferbyn â hi yn y cylch, sylwodd fod meini eraill wedi eu gosod hwnt ac yma ar hyd y tirlun i ffurfio rhes neu linell o gerrig. Mae'r llinell hon yn anelu at fwlch yn y gorwel ar gopa Garn Meini. Y bwlch sy'n dynodi'r fan lle mae'r seren Deneb, a adwaenir fel seren ŵyna'r bugeiliaid, yn codi i'r ffurfafen. Yn yr un modd wrth gadw gwyliadwriaeth ar draws canol (diamedr) Gors Fawr a dilyn rhes arall o gerrig i gyfeiriad Foel Dyrch fe fedrai'r seryddwyr cynnar nodi dydd cyntaf y flwyddyn ar ben y diwrnod; a dweud wrth eu cyd-bentrefwyr ei bod hi'n bryd mynd ati i hau gwenith, ceirch a barlys er mwyn i'r cnwd dyfu ac aeddfedu yn ei dymor. (Ymddangosiad y seren Spica yn cael ei dilyn gan yr haul yn yr union fan yn yr awyr oedd yr arwydd fod y gwanwyn wedi cyrraedd.) Sylwodd Roger Worsley fod yr hen wyddonwyr wedi gosod safleoedd cerrig yn gyfewin fanwl ar grib y mynydd i ddal yr haul ar y dydd hwyaf a'r dydd byrraf o'r flwyddyn. Roedd y flwyddyn gron wedi ei rhannu yn 16 o fisoedd yn ôl ymddangosiad clystyrau o sêr ar adegau penodol. Felly, mae cylch Gors Fawr yn cynnwys un garreg ar gyfer pob un o fisoedd y flwyddyn.

Ni fedrwn ond rhyfeddu at gamp y seryddwyr cynnar yn creu calendr effeithiol heb unrhyw offer yn eu dwylo ond y cerrig garw ar y gweundir. Mae Gors Fawr yn deyrnged arhosol i'w dawn a'u crebwyll.

Rhaid troi'n ôl yng Ngors Fawr a throi ar y dde ym

mhentre Mynachlog-ddu. Safwn wrth ymyl capel Bethel (O.S. 145304), eglwys y Bedyddwyr a adeiladwyd yn 1794. Mae dwy garreg fedd bwysig ym mynwentydd y capel hwn, un yn yr hen fynwent a'r llall yn y fynwent newydd. Maent yn gerrig beddau i ddau rebel mawr, ond dau hollol wahanol i'w gilydd ym mhob ystyr.

R. Parri Roberts (1882 – 1968)

Brodor o Fodedern, Sir Fôn, oedd R. Parri Roberts, a bu'n weinidog yn Ffordd-las, Glan Conwy, am 12 mlynedd cyn derbyn galwad i Fethel, Mynachlog-ddu yn 1924. Bu'n gweinidogaethu yma hyd ei farw yn 1968. Cofir amdano'n bennaf fel un o heddychwyr mawr y ganrif. Costiodd ei heddychiaeth yn ddrud iddo yn ystod y Rhyfel Byd Cyntaf. Dywed Myfi Williams amdano yn *Ffarwel i'r Brenin*, y gyfrol goffa rymus i R. Parri Roberts: 'aethai i angladd Spinther James – hynny tua dechrau'r Rhyfel; yn y fynwent ar ben y Gogarth (Llandudno) yr oedd y claddu, a threfnasid cerbydau i gario'r gweinidogion a'r galarwyr i fyny'r llechwedd serth ac yn ôl; ond 'doedd dim lle yn yr un ohonynt i Parri Roberts; esgymunwyd ef gan bawb, fel petai'r gwahanglwyf arno, a bu'n rhaid iddo gerdded.'

Dywed E. T. Lewis hefyd yn yr un cyfrol: 'Clywais iddo ddweud fod nifer o bulpudau a arferai fod yn agored iddo cyn 1914 wedi eu cau iddo ar ôl hynny.'

Daliodd yn dynn wrth ei ddaliadau heddychol yn ystod yr Ail Ryfel Byd hefyd. Roedd yn bregethwr gwreiddiol wrth reddf ac yn ymosodwr llym ar filitariaeth a rhyfel. Pan oedd y Swyddfa Ryfel yn bwriadu sefydlu maes-tanio parhaol yn y Preselau yn

1946 yr oedd Parri Roberts gyda Joseph James ac eraill ar flaen y gad i amddiffyn y fro. Er y byddai capel Bethel ei hun yn dal ar ei draed ar gyrion y maes-tanio yr oedd 85 o'r aelodau i'w troi allan o'u cartrefi ym mhlwyf Mynachlog-ddu. Ysgrifennodd Parri Roberts erthyglau deifiol i'r *Faner* i ymosod ar gynlluniau'r Llywodraeth ac i amddiffyn sancteiddrwydd tir a daear y Preselau. Bu wrthi'n ddiwyd hefyd yn annerch cyfarfodydd i ddeffro ymwybyddiaeth y trigolion yn erbyn y bygythiad. Yn wir, tynghedodd Parri Roberts a Joseph James gyda'i gilydd y byddent yn symud i aros ar aelwyd Maesyrefydd (lle a fyddai'n union ar lwybr y bwledi) y funud y byddai'r milwyr yn dod i Fynachlog-ddu. Diolch i'r drefn, bu'n rhaid i'r Swyddfa Ryfel ildio o dan bwysau'r protestwyr. Nid yw'n syndod ychwaith i Parri Roberts gael ei enwi yn Gandhi y Preselau. Englyn o waith W. R. Evans sydd ar ei garreg fedd:

O gwr Môn i Garmeini – y craffaf
    A'r puraf oedd Parri.
  Y da frawd, proffwyd o fri,
  Noswyliodd ar Breseli.

R Parri Roberts.

54

Carreg Fedd Thomas Rees (Twm Carnabwth)

Dyma orweddfan Thomas Rees, neu Twm Carnabwth fel yr adwaenid ef yn lleol. Darllenwch y pennill hynod o anarferol ar ei garreg fedd:

> Nid oes neb ond Duw yn gwybod
> Beth a ddigwydd mewn diwrnod,
> Wrth gyrchu bresych at fy nghinio
> Daeth angau i fy ngardd i'm taro.

Ef oedd arweinydd 'y fyddin answyddogol' a chwalodd dollborth Efail-wen ar ddechrau Terfysgoedd Beca. Ond ni chymerodd Twm ran yn yr ymgyrch byth wedyn. Tyddyn yw Carnabwth, heb fod nepell o ffarm Glynsaithmaen, a dywed traddodiad yr ardal mai tŷ unnos ydoedd ar y dechrau. Yr oedd Twm yn gymeriad garw ac yn gawr o ddyn o ran maintioli ei gorff. Roedd yn hoff o'i beint hefyd, a dywedir iddo golli un llygad wrth ymladd yn nhafarn y Stambar. Fodd bynnag, nid oes tystiolaeth bendant i'r stori leol ei fod yn cael ei dorri allan o eglwys Bethel yn rheolaidd am feddwi, ac yn cael ei dderbyn yn ôl bob blwyddyn cyn y Gymanfa Bwnc am ei fod yn gaffaeliad i'r canu! Mae'n debyg fod ganddo lais bas soniarus iawn. Ond gwyddom i sicrwydd iddo gael tröedigaeth cyn diwedd ei oes a throi'n gapelwr selog.

Dywed Ioan Cleddau mewn erthygl goffa iddo yn *Seren Cymru* ei fod wedi benthyca dillad gwraig weddw o'r enw Rebeca i fynd ati i chwalu'r glwyd. Hi, meddai ef, oedd yr unig wraig yn yr ardal a chanddi ddillad digon o fesur i amgylchu Twm Carnabwth. Dyma'r rheswm, yn ôl Ioan Cleddau, paham y galwyd y terfysgwyr yn Ferched *Beca*. Diddorol hefyd yw'r sylw

Carreg Fedd Twm Carnabwth.

ganddo fod y *'merched'* yn cyfarch ei gilydd yn *'Nelly'*, *'Mary'*, neu *'Peggy'* yn ôl enwau'r gwragedd a roes fenthyg gwisg iddynt. A chan fod Ioan Cleddau yn gyfoeswr i Twm Carnabwth fe ddylai ef wybod.

Myn eraill mai dyfyniad o Lyfr Genesis, 24: 60, a roes yr enw 'merchetaidd' i ddryllwyr y clwydi: 'A hwy a fendithiasant Rebeca, ac a ddywedasant wrthi, ein chwaer wyt, bydd di fil fyrddiwn, ac etifedded dy had byrth ei gaseion'. Ta waeth am hynny, dyma ddyfyniad o hen faled adnabyddus:

> Cadd Beca ei geni
> Yng Nghymru fel fi,
> Yn faban corfforol
> Ym mhlwyf 'Nachlog-ddu.
> Fe dyfodd i fyny
> yn uchel 'i phen,
> Cymerodd lawn feddiant
> O gât' r Efel-wen.

Ac yn sŵn y faled hon yr awn ninnau hefyd tuag Efail-wen.

Dilynwn y ffordd am ryw ddwy filltir, troi ar y dde ar Groesffordd Glandy (wedi cyrraedd yr A478) a sefyll wrth ymyl Cofeb Beca, rhyw ganllath i'r de o sgwâr Efail-wen.

Cofeb Beca

Yma yr oedd lleoliad yr hen glwyd a roes gychwyn i Derfysgoedd Beca (O.S. 134253). Mis Mai 1839 oedd hi ac yr oedd Cwmni Tyrpeg Hendy-gwyn ar Daf wedi codi tollborth newydd yn Efail-wen. Daeth tyrfa o ryw dri neu

Cofeb Beca.

bedwar cant ynghyd, rhai wedi pardduo eu hwynebau ac
eraill yn gwisgo dillad merched, a chwalwyd y glwyd yn
deilchion. Rhoed bwthyn y ceidwad ar dân hefyd a bu'n
rhaid i hwnnw ddianc am ei fywyd.

Digwyddodd hyn mewn cyfnod pan oedd herio grym
ac awdurdod, yn enwedig o dan amgylchiadau

58

anffafriol, yn 'boblogaidd'. Onid oedd y Siartwyr yn ardaloedd diwydiannol y De eisoes wedi siglo'r wlad i'w sail â'u protestiadau herfeiddiol? Bu 1838 yn flwyddyn golledus i'r ffermwyr gan fod y tywydd mawr wedi difa'r cynaeafau. Ac yr oedd meddwl am dalu tollau am fynd ag anifeiliaid i'r marchnadoedd ar hyd y ffordd dyrpeg yn dân ar eu croen. Codwyd y glwyd newydd hefyd ar yr union adeg o'r flwyddyn yr oedd yr amaethwyr yn cludo llwythi o galch i achlesu'r tir. Hon oedd yr hoelen olaf yn yr arch. Roedd y rhenti'n uchel a gofynion y degwm yn dreth ar ysgwyddau'r ffermwyr tlawd, ac mae'n sicr i wrthryfelwyr y Preselau deimlo yn eu calonnau 'mae digon yn ddigon'. Chwalwyd clwyd Efail-wen am yr eildro ym mis Mehefin ac am y drydedd waith ym mis Gorffennaf. Er i'r ymosodiad cyntaf a'r ail ddigwydd yn ystod y nos gwnaed y trydydd cyrch gefn dydd golau. Y tro hwn roedd yr ymosodwyr yn cyfarch eu harweinydd wrth yr enw Beca ac fe'i hadnabuwyd fel Thomas Rees, Carnabwth.

Ymledodd gwrthryfel Beca ar draws y de-orllewin. Yr un oedd y patrwm bron bob tro – gwraig dal a phluen yn ei het ar gefn ei cheffyl yn annog ei merched niferus i'r frwydr. Ymosodiadau wedi eu trefnu'n lleol oeddynt, ac wrth gwrs, nid yr un Feca na'r un giwed anhysbys oedd wrthi ym mhobman. Yn wir, nid chwalu clwydi tyrpeg yn unig a wnaed gan y terfysgwyr, rhoed tlotai ar dân a chosbwyd rhai ynadon amhoblogaidd. Daeth Beca yn rhyw fath o ddiwygiwr cymdeithasol. Mae'n wir fod dwy ochr i bob stori. Roedd yn rhaid i'r cwmnïau tyrpeg godi arian ar gyfer atgyweirio'r ffyrdd. Efallai iddynt fod yn esgeulus o'u dyletswyddau ac, yn sicr, ni ddeallai'r bobl gyffredin y sefyllfa. Mae'n wir

Beca yn annog ei merched i ymosod mewn pasiant a gynhaliwyd adeg dathlu 150 mlynedd chwalu'r dollborth gyntaf yn Efail-wen.

hefyd i ymgyrchoedd Merched Beca ddwyn ffrwyth yn y tymor hir. Gan mai 'Byddin heb wyneb iddi' oedd y merched, yn chwalu clwydi a dianc gefn nos, nid oedd yn hawdd i'r awdurdodau eu dal. Mae'n wir i rai gael eu dwyn i'r ddalfa cyn y diwedd, eu carcharu a'u halltudio. Ond yn dilyn ymchwiliad gan gomisiwn ar ran y Llywodraeth yn 1844 fe ddaeth y cwmnïau tyrpeg o dan reolaeth ganolog. Gostyngwyd llawer o'r tollau a chaniateid i'r ffermwyr fwy o filltiroedd am eu taliadau. Daeth y drefn yn fwy rhesymol a derbyniol i'r amaethwyr.

Y mae'n amheus gennyf a oes unrhyw helynt arall yng Nghymru wedi esgor ar gymaint o faledi ffair. Mae llawer ohonynt yn gellweirus a doniol hefyd yn ceryddu Beca am fod ganddi gymaint o blant a hithau heb fod yn briod! Neu o leiaf ni fu sôn yn unman am ei gŵr.

Ond ymhen amser fe dyfodd yr enw Beca yn symbol o wrthryfel yn erbyn trais ac anghyfianwder.

Bardd a aned yn y gymdogaeth hon oedd E. Llwyd Williams. Myfyrio ar dynged yr helynt yn yr union fan lle bu'r glwyd (cyn i'r gofeb gael ei chodi wrth gwrs) a roes fod i'w delyneg rymus sy'n dwyn y teitl 'Efail-wen'. Dyma hi:

> Na, nid oes yma ym môn y clawdd
>   Ddellten o goed yr hen glwyd,
> Y mae Twm Carnabwth yn lludw'r bedd
>   A Beca'n y pellter llwyd.
>
> Gyrrwn yn lluoedd heibio i'r lle
>   Heb arafu trem ar ein hynt
> I gofio cymwynas y Cymro cryf
>   A fu'n wrthryfelwr gynt.
>
> Ond odid na chlyw y plant ambell hwyr
>   Rhyw adlef rhwng cwm a chwm,
> A'r ysbryd yn chwilio am fraich o gnawd
>   I gynnal gwehelyth Twm.

Ac yn sŵn y geiriau hyn yr awn ninnau hefyd i ymweld â bedd E. Llwyd Williams ym mynwent capel Rhydwilym.

Rhaid dilyn y briffordd eto am ryw filltir i gyfeiriad Arberth, a throi ar y dde ar y gyffordd gyntaf. Wedi teithio am ryw hanner milltir trown ar y dde eto a disgyn ar ein pennau i gwm Rhydwilym (O.S. 114249). Safwn wrth ymyl iet y fynwent ar y rhiw cyn cyrraedd y capel.

Carreg Fedd E. Llwyd Williams (1906 – 1960)

Maen garw o barc y Lan, y ffarm lle'i ganed, yw carreg fedd E. Llwyd Williams. Nid oes arni ddim ond y geiriau syml :

LLWYD
1906–1960

Wedi gadael Ysgol Brynconin ac Ysgol Ramadeg Arberth bu Llwyd Williams yn gweithio am gyfnod fel prentis fferyllydd yn nhre Arberth cyn rhoi ei fryd ar fynd i'r weinidogaeth. Ar ôl cwblhau ei gwrs yn y Coleg Diwinyddol ym Mangor bu'n weinidog gyda'r Bedyddwyr ym Maesteg am bum mlynedd. Derbyniodd alwad i Ebeneser, Rhydaman, yn 1936 ac aros yno tan ei farw disymwth yn Ionawr 1960.

Yr oedd Llwyd yn fardd a llenor o safon. Enillodd y Gadair yn Eisteddfod Genedlaethol y Rhyl, 1953, am ei awdl, 'Y Ffordd' a chipio'r Goron yn Eisteddfod Genedlaethol Ystradgynlais, 1954,

Carreg fedd
E. Llwyd Williams.

am ei bryddest 'Y Bannau'. Ardal ei gynefin yn y Preselau yw cefndir yr awdl a'r bryddest fel ei gilydd. Y ffordd fawr ei hun sy'n llefaru yn yr awdl ac mae'n dilyn hynt y fforddolyn o'i grud i'w fedd. Ond y mae'r bardd hefyd, yn ei fyfyrdod, yn ymdrin â thaith y pererin ar hyd yr oesoedd. Pryddest gyfriniol yw'r 'Bannau' gyda'r bardd ei hun yn dringo'r Preselau i dynnu lluniau myfyrdodus o'r amgylchfyd. Ond ar ei daith i ben y mynydd y mae E. Llwyd Williams yn gweld y bannau yn troi'n symbol o binaclau ein gwareiddiad Cristnogol. Enillodd Llwyd Williams hefyd yn y Genedlaethol am delynegion, yr englyn a chân mewn tafodiaith. Yr oedd Llwyd, W. R. Evans a Waldo yn gyfeillion agos ac yn arfer cystadlu'n gyson yn erbyn ei gilydd yn yr adran farddoniaeth mewn eisteddfodau lleol. Nid cystadlu er mwyn ennill y wobr, ond er mwyn yr hwyl. Ys dywed Waldo am y drindod gellweirus yn ei gywydd cyfarch i W. R. :

> Beirdd ystwyth hen bryddestau
> A chanu'r gloch yn rhy glau.

Ffrwyth cyfeillgarwch a chwmnïa hefyd oedd cyhoeddi casgliad o gerddi ar gyfer plant dan 11 oed gan Llwyd a Waldo ar y cyd yn 1936. *Cerddi'r Plant* yw'r teitl a bu llawer ohonynt yn ddarnau adrodd poblogaidd mewn eisteddfodau a chyngherddau ar hyd a lled y wlad.

Cyhoeddodd E. Llwyd Williams nifer o gyfrolau rhyddiaith hefyd. Nofel fer yn ymdrin ag effeithiau'r Ail Ryfel Byd ar fywyd cefn gwlad yw *Tua'r Cyfnos* (1943). Y mae'n nofel sy'n dadlennu rhagrith rhai o wŷr blaenllaw'r gymdeithas wledig, ac yn mynd i'r afael â'r gwrthdaro rhwng y faciwîs a rhai o frodorion anllythrennog y Gymru Gymraeg. Cyfrol o straeon difyr yw *Hen Ddwylo* (1941) yn portreadu rhai o gymeriadau bro ei febyd. Ond uchafbwynt ei yrfa fel llenor yw'r ddwy gyfrol *Crwydro Sir Benfro* a gyhoeddwyd yn y gyfres *Crwydro Cymru*. Dyma gyfrolau sy'n dangos ôl ymchwil fanwl a gwybodaeth eang ynghyd â dawn yr awdur i gyflwyno hanes ei sir enedigol mewn dull hwyliog ac addysgiadol yr un pryd.

Nodyn telynegol sydd i'w farddoniaeth. Y mae'n hoff o arbrofi â'r mesurau, ac y mae Cwm Cleddau, y ddaear a'i phobl, yn agos iawn at ei galon. *Tir Hela* yw teitl ei gasgliad o gerddi a gyhoeddwyd i ddathlu ei ben-blwydd yn 50 oed.

Cadeirio E. Llwyd Williams yn Eisteddfod Genedlaethol Y Rhyl, 1953.

Capel Rhydwilym

Awn am dro i sefyll y tu allan i'r capel (O.S. 114249). A oes unrhyw addoldy arall yng Nghymru wedi ei adeiladu mor agos i ffrwd yr afon? Clywais ddweud fod addolwyr Rhydwilym yn hen gyfarwydd â sŵn byrlymus Cleddau Ddu yn eu clustiau yn ystod yr oedfaon wrth iddi lithro dros y cerrig ar ei ffordd i gyfeiriad y gweundir. Yr afon hon yw'r ffin swyddogol rhwng Sir Benfro a Sir Gaerfyrddin. Saif y capel ei hun ar ddaear Sir Gâr. Ond mae pawb, rywsut, yn meddwl am Rydwilym fel rhan o Sir Benfro.

Rhydwilym yw mam eglwys y Bedyddwyr yn ne-orllewin Cymru. Corffolwyd hi yn 1668 ar adeg pan oedd erlid mawr ar yr Ymneilltuwyr. Yr oedd ceisio torri'n rhydd o gyfundrefn yr eglwys wladol a mynd ati i sefydlu'r enwadau Anghydffurfiol yn anodd a dweud y

Capel Rhydwilym.

65

lleiaf. Costiodd eu credoau yn ddrud i'r Annibynwyr a'r Bedyddwyr fel ei gilydd. Pasiwyd nifer o ddeddfau yn y senedd i rwystro datblygiad yr enwadau newydd.

Un o brif arloeswyr Anghydffurfiaeth yn y parthau hyn oedd William Jones, offeiriad plwyf cyfagos Cilymaenllwyd. Cafodd ei droi allan o'i eglwys yn 1662 am gynnal ysgol heb ganiatâd yr esgob. Ei gosb oedd pedair blynedd yng ngharchar Caerfyrddin. Yn ystod ei gyfnod yn y carchar y troes yn Fedyddiwr selog ac wedi iddo gael ei ryddhau aeth cyn belled ag Olchon yn Swydd Henffordd i'w fedyddio. Dychwelodd ar ei union i'w filltir sgwâr i weithio'n ddygn i sefydlu achos y Bedyddwyr yn Rhydwilym. Ef, ar y cyd â Griffith Howells (un o'r aelodau), oedd ei gweinidogion cyntaf.

Ond daliwyd William Jones drachefn yn pregethu yn yr awyr agored mewn cwm diarffordd a bwriwyd ef eto am dymor i garchar Hwlffordd. Ond daliodd yr aelodau i gynnal oedfaon yn y dirgel mewn ogofâu a chilfachau, ysguboriau a ffermdai, wrth geisio mynd â'r maen i'r wal. Hanes trist sydd i ddiwedd y cenhadwr ymroddedig hwn. Y mae'n debyg iddo yn ei henaint dderbyn lloches gan deulu ei ferch yng Nghastellgarw, a chan eu bod hwy yn Uchel Eglwyswyr, heb unrhyw gydymdeimlad â'r Anghydffurfwyr, ni cheir sôn amdano ym mlynyddoedd olaf ei oes. Ni wyddys blwyddyn ei farw na man ei fedd.

Hanes cythryblus sydd i Griffith Howells hefyd. Bu ei gartref yn fan cyfarfod i'r eglwys ddiadeilad am beth amser. Ond roedd y cwnstabliaid o hyd ar drywydd yr addolwyr anghyfreithlon a digon o hysbyswyr wrth law i'w bradychu. Bwriwyd Griffith Howells hefyd am gyfnod i garchar Hwlffordd yn 1673. Oherwydd yr erlid ar Anghydffurfwyr roedd cael lle i gladdu'r meirw hyd yn oed yn broblem iddynt. Mae'n wir fod rhai o aelodau'r eglwys fore yn Rhydwilym wedi eu gorfodi i gladdu eu perthnasau yn eu gerddi. Hyn a symbylodd Griffith Howells i roi darn o dir ei ffarm yn Rushacre, plwyf Llanddewi, yn ardd gladdu i'r Bedyddwyr.

Ond John Evans, Llwyndŵr, a gododd y capel cyntaf yn Rhydwilym. Yn 1701 yr adeiladwyd y cysegr i'r aelodau a fu'n cyfarfod hwnt ac yma heb gapel i addoli ynddo am 33 o flynyddoedd. Erbyn hyn yr oedd Deddf Goddefiad 1689 wedi hwyluso'r drefn a disgwylid i'r aelodau orfoleddu yn ei gylch. Ond nid felly y bu. Roedd effaith cyfnod yr erlid yn dal yng nghalonnau'r bobol a fu'n addoli cyhyd mewn ogof a chilfach a sgubor, a buont yn hir cyn teimlo'n ddiogel rhwng muriau'r deml. Wedi arfer bedyddio'r credinwyr yn y dirgel mewn llawer afon aeth o leiaf ddwy flynedd heibio cyn iddynt fentro trochi'r aelodau newydd yn y fedyddfa ar bwys y capel. John Evans hefyd yw'r unig unigolyn y gwyddys iddo adeiladu capel yn gyfan gwbl ar ei liwt ei hun. Credir i'r cysegr gael ei enwi yn Rhydwilym ar ôl William Jones, y gweinidog cyntaf, i fod yn gofgolofn i'w enw a'i aberth.

Yr oedd Rhydwilym yn ei blynyddoedd cynnar yn eglwys i Fedyddwyr Sir Benfro, Sir Aberteifi a Sir Gaerfyrddin. Ymhen blynyddoedd datblygodd 11 o eglwysi eraill yn ganghennau ohoni; a gofalodd Rhydwilym fod ganddi weinidog yn barod ar gyfer pob un ohonynt. Y mae hanes cyffrous sefydlu'r eglwys Anghydffurfiol hon wedi ei groniclo yn y gyfrol *Rhamant Rhydwilym* gan John Absalom ac E. Llwyd Williams. Fe lwyddodd Llwyd Williams hefyd i ddal cyfaredd y llecyn hanesyddol hwn yn ei delyneg un pennill:

Yn Rhydwilym lle'r ymbletha
  Gwaun a gallt a heol gul,
Afon Cleddau sy'n cyfeilio
  Canu'r saint o Sul i Sul.
Hon yw'r afon sy'n fy nilyn
  Draw ymhell o'r gweundir llwm,
Nid â'r glust y clywaf heno
  Sŵn yr afon yn y cwm.

Troi ar y chwith ar ôl gadael capel Rhydwilym. Awn heibio Ysgol Steiner yn Nantycwm ar y dde a'r tŷ hynod wedi ei doi â thyweirch ar y chwith, a chyrraedd croesffordd Eden sy'n fan cyfarfod i bum heol wledig ym mhlwyf Llan-y-cefn.

Eden

Nid oes ond tafliad carreg o'r fan hon (O.S. 103235), a chymryd yr arwydd i gyfeiriad Llandysilio, i ffermdy Dolbetws, lle ganed yr hanesydd David Williams. Ef, yn ei ddydd, oedd yr awdurdod pennaf ar hanes Cymru fodern. Cafodd yrfa academig ddisglair ac fe'i dyrchafwyd i gadair Syr John Williams mewn Hanes Cymru yng Ngholeg Prifysgol Cymru, Aberystwyth, yn 1945. Ymhlith ei gyhoeddiadau niferus y mae *The Rebecca Riots* a *A History of Modern Wales*.

Enw ar dafarn oedd Eden yn y dyddiau gynt cyn iddo gael ei gau yn nhridegau'r ugeinfed ganrif.

Y mae un hanesyn sy'n werth ei adrodd wrth fynd heibio. Roedd un o weinidogion Rhydwilym ers talwm yn hoff iawn o'i beint. Yn wir, yn Eden roedd e'n byw a bod. Ymhen amser fe aeth rhai o'r aelodau i deimlo'n anghysurus ynglŷn â hoffter eu gweinidog o'r ddiod gadarn. Galwyd cwrdd eglwys yn y festri ac fe ddaeth rhyw 50 o'r aelodau ynghyd gyda'r bwriad o naill ai ei ddisgyblu neu, efallai, ei 'droi allan' o'i fugeiliaeth yn Rhydwilym. Ond fe glywodd y gweinidog am y cyfarfod ac fe aeth yno ei hun gan eistedd fel arfer yng nghadair y cadeirydd. Pan welodd y pwyllgorwyr petrus fod y 'gŵr drwg' ei hun yn eu plith nid oedd gan yr un ohonynt ddigon o wyneb i sôn gair am y peth. Aeth hanner awr heibio o ddistawrwydd llethol. Ond yn reit sydyn, dyma'r gweinidog yn codi ar ei draed, yn tynnu ei watsh allan o boced ei wasgod gan edrych ar yr amser a dweud, 'Gyfeillion, fe gawn ni orffen yr oedfa drwy ganu'r emyn:

'Yn Eden cofiaf hynny byth!'

Ni feiddiodd neb sôn am y cwrw byth wedyn.

Awn ymlaen o Eden i gyfeiriad Llandeilo ac aros yn ymyl Bwthyn Pen-rhos ar ddarn o wlad uchel a noethlwm.

Bwthyn Pen-rhos

Un o brif atyniadau Gwasanaeth Amgueddfeydd Sir Benfro erbyn hyn yw bwthyn Pen-rhos (O.S. 102258). Fe'i prynwyd gan y Cyngor Sir yn 1972. Pen-rhos, hefyd, yw'r unig dŷ to gwellt sy'n dal ar ei draed yn Sir Benfro. Dwy chwaer o'r enw Rachel a Marïa oedd ei breswylwyr olaf a dywed J. Derfel Rees amdanynt yn ei gyfrol o hunangofiant *Blas ar Fyw*:

> Gwisgent yn hen ffasiwn a chadwent at yr hen ddull gwledig o fyw. Yr oeddent rywle tua'r pedwar ugain mlwydd oed pan adnabûm hwy gyntaf, a hwythau'n aelodau selog yng nghapel Llandeilo, Penfro, un o'r

Bwthyn Pen-rhos.

eglwysi dan fy ngofal ar y pryd. Cadwent y bwthyn
bach fel palas, popeth mor lân a destlus â phin mewn
papur. Sgleiniai'r hen ddodrefn derw fel y gallech weld
eich llun ynddynt.

Mae'n dda gennyf ddweud fod yr hen ddodrefn derw
yma o hyd fel pe bai amser wedi sefyll yn stond rhwng
y muriau carreg. Y mae'r tŷ cyfan hefyd wedi ei
ddodrefnu'n drawiadol i gyfleu naws ac awyrgylch y
bedwaredd ganrif ar bymtheg i'r dim. Dywed y garreg
uwchben y drws mai 1849 oedd blwyddyn ei adeiladu.
Ond mae'n debyg mai cael ei godi ar sail adeilad
cynharach a wnaeth Pen-rhos. Yn ôl traddodiad yr ardal
tŷ unnos oedd ar y cychwyn.

Mae hanes y tai unnos yn ddiddorol. Gwelodd y
cyfnod o ddechrau'r unfed ganrif ar bymtheg hyd
ddiwedd y ddeunawfed ganrif newid mawr ym myd

amaethyddiaeth. Yr oedd y meistri tir wrthi'n brysur yn ehangu eu stadau mawrion drwy uno ffermydd, prynu mân-ddaliadau a chrafangu tir y Goron. Yn anffodus, gwnaed hyn yn aml drwy ddefnyddio dulliau gormesol ac arfer cyfrwystra. Roedd y tirfeddianwyr hefyd, at ei gilydd, yn ddigon bras eu byd. Ond nid felly pawb. Roedd llawer o'r bobl gyffredin yn dlawd iawn. Fodd bynnag, yr oedd gan y sawl na feddai ddarn o dir yr hawl i godi tŷ dros nos ar y comin. Fe'u gelwid yn dai unnos a dywed E. T. Lewis yn ei gyfrol *Mynachlog-ddu: a guide to its Antiquities*: 'The tradition, not founded in law, but in custom, lay in constructing a house overnight.' Ceir gwybodaeth ddiddorol hefyd ar y daflen gyhoeddusrwydd a gedwir yma ym Mhen-rhos, darn wedi ei gyfieithu o Adroddiad y Comisiwn Tir ar ran y Llywodraeth a gyhoeddwyd yn 1896:

> Roedd yn ofynnol codi tŷ unnos mewn un noson rhwng machlud a gwawr. Casglai'r adeiladydd ei gyfeillion a'i berthnasau oll ynghyd a'u hebrwng at safle priodol. Gyda'r machlud, dyna gychwyn ar dorri tyweirch a'u pentyrru i ffurfio waliau. Yna, gosodwyd to a ddarparwyd ymlaen llaw dros y cyfan, a phlethu gwellt neu frwyn drosto. Gwnaed y gwaith yn gyflym iawn gan fod yn rhaid cwblhau'r to a chael mwg i estyn trwy'r simdde erbyn toriad dydd. Yna gallai'r adeiladydd hawlio'r holl dir o fewn tafliad carreg i'r trothwy.

Dyna ddweud y cwbl yn gryno. Fel y gellid disgwyl, bythynnod digon salw oedd yn cael eu codi o dan y fath amgylchiadau. Ond nid oedd dim yn rhwystro'r preswylydd rhag gwneud gwelliannau ar yr adeilad gyda threigl y blynyddoedd. Mae'n ymddangos fod yr arfer o godi tŷ unnos yn digwydd mewn llawer rhan o

Brydain hefyd, ond nid yr un fath yn hollol oedd yr 'amodau' ym mhob ardal.

Ymhlith y dogfennau diddorol a gedwir ym Mhenrhos y mae copi o lythyr, dyddiedig 12 Mawrth 1790, a anfonwyd gan gurad a warden eglwys Eglwys-wen at Thomas Lloyd y Bronwydd yn ei hysbysu fod un Joseph William wedi adeiladu tŷ unnos ar gomin y plwyf. Math o dystysgrif dilysrwydd ydyw yn gofyn i Thomas Lloyd, fel arglwydd y faenor, sicrhau fod y bwthyn yn cael ei gadw a'i ddiogelu i'w breswylydd tlawd. Yr un mor ddiddorol yw'r toriad papur newydd (heb ddyddiad) sy'n disgrifio'n lled fanwl y gorchwyl o godi tŷ unnos ar gomin Rhos-fach (y swyddfa bost yn ddiweddarach), ryw filltir a hanner o'r fan hon. Y tro hwn, bachgen digartre ar fin priodi sy'n cael help ei gymdogion i adeiladu bwthyn ymlaen llaw iddo ef a'i ddyweddi.

Er ei bod hi'n anodd inni heddiw, efallai, amgyffred caledi'r oes, y mae'n hawdd deall gorfoledd y gweithiwr tlawd oedd wedi llwyddo i godi tŷ unnos ar ddarn o gytir, a sicrhau cartre parhaol ar gyfer amaethu a magu teulu:

At bentwr o dywyrch ar gomin Pen-rhos
Daeth gweithiwr cyhyrog i ymladd â'r nos,
A mwg y corn-simnai wrth gyfarch y wawr
Yn lloches i'w deulu rhag gwanc y gwŷr mawr.

Wedi gadael Pen-rhos disgynnwn dros y rhiw am ryw hanner milltir ac aros yn ymyl mynedfa ffarm Llandeilo Isaf. Hon yw'r giât sy'n arwain at fangre'r hen eglwys adfeiliedig. Hwyrach mai eglwys *ddiflanedig* y dylid ei ddweud bellach oherwydd nid oes dim yn aros ond y cerrig beddau yn y fynwent. Cerrig beddau'r teulu Melchior, fel y cawn weld eto yn nes ymlaen, yw'r beddfeini pwysicaf o lawer o safbwynt y daith hon.

Mynwent Eglwys Llandeilo

Heb fynd i fanylu, 'eglwys' neu 'ddarn o dir cysygredig i gladdu'r meirw' oedd ystyr **Llan** ar y cychwyn. Ymhen amser, fe ddatblygodd yn elfen gyntaf enw pentre oedd wedi tyfu o gwmpas yr eglwys. Enw'r sant yr oedd yr eglwys wedi ei chysegru iddo oedd gan amlaf yn dilyn **Llan**. Eglwys Llandeilo (O.S. 099270) yw un o'r 25 o eglwysi yn ne a gorllewin Cymru sy'n dwyn enw Teilo Sant. Yn wir, mae'n ymddangos fod Teilo yn 'boblogaidd' iawn yn yr ardal hon oherwydd y mae'r plwyf, y pentre bychan, y dyffryn, y ffynnon, yr eglwys, y capel (hen a newydd), y chwarel, dwy ffarm a dau dŷ annedd yn dal i warchod ei enw yn y llecyn hwn.

Nid dyma'r fan i ymhelaethu ar hanes ei fywyd. Digon yw dweud iddo gael ei eni ym Mhenalun yn ne Sir Benfro a'i fod yn un o gyfoeswyr Dewi a Phadarn. Mae'n ymddangos mai Llandeilo Fawr yn Sir Gaerfyrddin oedd un o'i brif ganolfannau; treuliodd saith mlynedd yn Llydaw a dywedir yn 'Buchedd Teilo' iddo fod yn esgob yn Llandaf. Ni thâl inni yn y fan hon ymdrin â'r gwyrthiau yr honnir yn *Llyfr Llandaf* sy'n gysylltiedig â'i farwolaeth. Digon yw dweud iddo farw ym mynachlog Llandeilo Fawr tua 566 O. C. ac yntau yn hen ŵr oddeutu'r 80 oed. Dywed un traddodiad fod morwyn o'r ardal hon wedi ei galw i weini arno ar ei wely angau ac i'r sant roi gorchymyn iddi fynd â'i benglog, ymhen blwyddyn o amser, o'r gladdfa yn Llandeilo Fawr, i'w chadw yma yn Llandeilo Llwydarth gan y byddai hyn yn dwyn bendith i'r cenedlaethau a ddêl. Hwn oedd y rheswm, yn ôl rhai pobl, paham y bu i benglog Sant Teilo gael ei chadw yma gan y teulu Melchior yn ffermdy Llandeilo Isaf am genedlaethau lawer.

Diddorol iawn yw'r cyfeiriad a geir gan E. Llwyd Williams yn *Crwydro Sir Benfro* at y benglog oedd yn cael ei chadw'n barchus yn nrôr ford yr ystafell orau yn y ffermdy hwn. Mae Llwyd hefyd yn talu teyrnged i'r teulu Melchior oedd yn byw yma, Cymry glân, diwylliedig a chrefyddol, ac mae'n ymfalchïo yn y ffaith iddo fod yn dal yr hen benglog hanesyddol yn ei ddwylo yn 1926.

Heb fod nepell o'r fan hon, ar dir y ffarm, y mae ffynnon Teilo. Dywedir fod ei dŵr yn dda at ddoluriau'r frest. Yn ôl yr hanes, bu lliaws o gleifion yn tyrru yma o bell ac agos i geisio gwellhad o'r pâs a'r diclein. Ond yr oedd un amod ynghlwm wrth y feddyginiaeth. Yr oedd yn rhaid i'r claf, wrth yfed y dŵr, ddefnyddio'r benglog fel cwpan! Nid oedd hyn yn ddigon ychwaith. Yr oedd yn rhaid iddo ef neu hi dderbyn y benglog, a'r dŵr ynddi, o law aelod hynaf y teulu Melchior oedd yn byw yn Llandeilo Isaf. Y mae un stori ddiddorol yn sôn am fachgen yn teithio dros drigain milltir o Sir Forgannwg i Landeilo Isaf, yn gwrthod yfed y dŵr o'r benglog, ac yn dychwelyd heb ei wella. Fodd bynnag, fe ddaeth yn ôl drachefn, gan gymryd y benglog a'r dŵr o law aelod hynaf y teulu, a dychwelyd yn holliach!

Bu Cymdeithas Archaeolegol Cymru yn ymweld â Llandeilo yn 1897 a chyhoeddwyd darn o sgwrs ddiddorol rhwng rhai o'r aelodau a theulu'r ffarm yn *Archaeologia Cambrensis 1898.* Yn yr un rhifyn o'r cylchgrawn ymddangosodd llun o Mrs Melchior yn dal y benglog ar un o'r cerrig Ogam yn y fynwent – cerrig sydd bellach wedi eu symud i Eglwys Maenclochog. Ond myn rhywrai daflu dŵr oer ar bopeth. Yn 1927 bu anthropolegwr o'r enw Syr Arthur Keith yn archwilio'r benglog yn fanwl. Ei farn ef oedd mai penglog rhywun a fu farw tua 60 oed oedd hi, a'i bod yn perthyn, nid i Oes y Saint yn y chweched ganrif, ond i'r cyfnod cyn y Diwygiad Protestannaidd yn y bedwaredd ganrif ar ddeg neu'r bymthegfed ganrif. Roedd yr arbenigwr yn tueddu i gredu hefyd mai penglog merch ydoedd! Wedi marw'r

Mrs Melchior yn dal y benglog ar un o'r cerrig Ogam ym mynwent Eglwys Llandeilo. (Yn null llun yn *Archaeologia Cambrensis*, 1898.)

olaf o'r teulu Melchior yn Llandeilo fe aeth yr hen benglog 'ar goll' am flynyddoedd. Ond daethpwyd o hyd iddi ymhen amser. Dim ond yn ddiweddar y cafwyd yr hanes yn llawn. Gwell dechrau'r stori yn y dechrau.

Rywbryd wedi marw Teilo fe adeiladwyd beddfaen iddo yn Eglwys Gadeiriol Llandaf. Yr oedd creiriau o'r fath yn cael eu parchu'n fawr yn eglwysi'r Oesoedd Canol. Rhoddwyd beddfaen Sant Teilo yng ngofal teulu nodedig Mathewiaid Llandaf. Ond yn 1403 fe'i difrodwyd gan fôr-ladron o Fryste. Fodd bynnag, tua chanol y bymthegfed ganrif fe adferwyd y beddfaen yn yr eglwys gan Syr David Mathews, aelod arall o'r un teulu, a derbyniodd yr hyn y dywedwyd wrtho oedd penglog Sant Teilo gan yr Esgob yn rhodd am ei waith. Mae'n amlwg iddo ei gwerthfawrogi'n fawr, yn bennaf, efallai, oherwydd y gred fod creiriau'r saint yn medru cyflawni gwyrthiau. Bu'r benglog ym meddiant yr un teulu am saith cenhedlaeth hyd 1658, tan i William Mathews, a oedd yn ddietifedd, ei gadael i'w gyfeillion, y teulu Melchior a oedd yn ffermio yma yn Llandeilo Isaf.

Bu'r benglog ym meddiant y teulu Melchior yn Llandeilo Isaf hyd 1927, tan i Dinah Melchior a oedd yn ddibriod, ei gwerthu am £50 i Gregory Mc Alister Mathews, a oedd yn honni ei fod yn un o ddisgynyddion teulu Mathewiaid Llandaf. Wedi hynny, mynd 'o law i law' o fewn yr un teulu a fu hanes y benglog. Bu'n cartrefu am beth amser yn Winchester, ac erbyn 1980 yr oedd hi ym meddiant Frank Mathews, peiriannydd yn Sydney, Awstralia. Wedi marw Frank yn 1982 aeth y benglog i ddwylo Robert, ei unig fab, a oedd yn byw yn Hong Kong, er iddi gael ei chadw o hyd mewn banc yn Sydney. Yn 1994 penderfynodd Robert, a oedd yn ddietifedd, ei dychwelyd i Eglwys Gadeiriol Llandaf. Ef ei hun a gyflwynodd y benglog hanesyddol i law'r Deon, o flaen cynulliad niferus, mewn seremoni a gynhaliwyd yn yr eglwys ar 9 Chwefror, 1994, – dydd gŵyl Sant Teilo. Felly, aeth y benglog yn ôl i'w chartre gwreiddiol wedi bod ar ddisberod am amser hir.

Ond mae'r ffynnon yma o hyd yn byrlymu o groth y ddaear a'i dŵr glân yn ymuno ag afon Bronwen yn y cwm islaw. Nid oes ond milltir union o'r fan hon yn ôl i sgwâr Maenclochog. Ac felly y terfyna'r gainc hon o un o deithiau llenyddol gogledd Sir Benfro.

Llyfryddiaeth Ddethol

Trebor Lloyd Evans, 'William Penfro Rowlands', *Y Cathedral Anghydffurfiol Cymraeg*, Tŷ John Penry, 1972, tt. 149-58.

John Gale, *The Maenclochog Railway*, Milford Haven, 1992.

Dafydd Roberts, 'The Pembrokeshire Slate Industry', David W. Howells (ed.), *Pembrokeshire County History Vol. IV*, tt. 138-52, Haverfordwest, 1993.

Ieuan Davies, *Joseph James*, Tŷ John Penry, 1983.

Moelwyn Daniel, 'Brwydr Bro'r Preselau', Eirwyn George (gol.), *Abergwaun a'r Fro*, Christopher Davies, 1986.

Eirwyn George, 'Ceidwaid y Bryniau', *Llynnoedd a Cherddi Eraill*, Gwasg Gwynedd, 1996.

E. T. Lewis, *Mynachlog-ddu: a Historical Survey*, Cardigan, 1969, tt. 75-7.

W. R. Evans, *Pennill a Thonc*, Gomer, 1940.
  –*Hwyl a Sbri*, Gomer, 1942.
  –*Hiwmor*, (Darlith Gŵyl Bro'r Preseli), Aberteifi, 1979.
  –*Fi yw Hwn*, Christopher Davies, 1980.
  –*Awen y Moelydd*, Gomer, 1983.
  –*Cawl Shir Bemro*, Gomer, 1986.

Dafydd a Rhiannon Ifans, 'Culhwch ac Olwen', *Y Mabinogion*, Gomer, 1980, tt. 80-114.

R. Wallis Evans, 'Prophetic Poetry', A. O. H. Jarman a Gwilym Rees Hughes (gol.), *A Guide to Welsh Literature*, Christopher Davies, 1979, tt. 278-97.

H. Elfed Lewis, 'Arthur Gyda Ni', *Caniadau Elfed*, Caerdydd, 1909.

R. J. C. Atkinson, *What is Stonehenge?* HMSO Swindon, 1972.

Brian John, 'Myths, Monuments and Mysteries', *Pembrokeshire Past and Present*, Greencroft Books, 1995, tt. 25-37.

E. T. Lewis, *Mynachlog-ddu: a Guide to its Antiquities*, Cardigan, 1972.

Waldo Williams, *Dail Pren*, Gomer, 1956.

Robert Rhys (gol.), *Waldo Williams: Cyfres y Meistri*, Christopher Davies, 1981.

James Nicholas, *Waldo Williams: Cyfres Bro a Bywyd*, Barddas, 1996.

Idwal Wynne Jones (gol.), *Ffarwel i'r Brenin*, Tŷ ar y Graig, 1972.

F. M. Jones, 'Robert Parri Roberts', D. Ben Rees (gol.), *Herio'r Byd*, Cyhoeddiadau Modern Cymreig Cyf., 1980, tt. 70-80.

Roger Worsley, 'Discover Gors Fawr', *Pembrokeshire Life*, March 1995, tt. 24-30.

B. G. Owens, 'Twm Carnabwth', Hefin Wyn (gol.), *Clebran*, Medi 1994, tt. 22-3.

ibid., Hydref 1994, tt. 22-3.

Ioan Cleddau, 'Marwolaeth Arweinydd Rebecca a'i Merched', *Seren Cymru*, Tachwedd 17, 1876, t. 3.

David Williams (tros. Beryl Thomas), *Helyntion Beca*, Gwasg Prifysgol Cymru, 1974.

E. Llwyd Williams, *Hen Ddwylo*, Llyfrau'r Dryw, 1941.

–*Tua'r Cyfnos,* Llyfrau'r Dryw, 1943.

–*Tir Hela,* Llyfrau'r Dryw, 1957.

–*Crwydro Sir Benfro*, Cyf. I., Llyfrau'r Dryw, 1958.

–*Crwydro Sir Benfro*, Cyf. II., Llyfrau'r Dryw, 1960.

John Absalom ac E. Llwyd Williams, *Rhamant Rhydwilym*, Gomer, 1959.

Rhys H. Adams (gol.), *Rhydwilym 1668-1968*, Gomer, 1968.

Report of the Royal Commission on Land in Wales and Monmouthshire, HMSO London, 1896, tt. 576-97.

S. Baring Gould and J. Fisher, *The Lives of the British Saints*, Vol.3., Butler and Tanner, London, 1907, tt. 226-43.

Anthony Bailey, *The Legend of Saint Teilo's Skull*, Preseli Heritage Publications, 1996.

Dan Gysgod Carn Ingli

Taith i ymweld â chofebau ac
adeiladau hanesyddol yr ardal.

HYD Y DAITH (MEWN MILLTIROEDD) RHWNG Y SAFLEOEDD

O Gernydd Meibion Owen i Gromlech Pentre Ifan	1.4
O Gromlech Pentre Ifan i Ganolfan Urdd Gobaith Cymru	1.4
O Ganolfan Urdd Gobaith Cymru i Gastell Henllys	2.0
O Gastell Henllys i Benybenglog	0.3
O Benybenglog i Eglwys Nanhyfer	2.8
O Eglwys Nanhyfer i Gastell Nanhyfer	0.3
O Gastell Nanhyfer i Blasty Llwyn-gwair	1.6
O Blasty Llwyn-gwair i'r Parrog (yn Nhrefdraeth)	1.5
O'r Parrog i Fedd Morris	2.8
O Fedd Morris i Gwmyreglwys	4.9
Cyfanswm y milltiroedd	19.0

RHYBUDD

Cynghorir bysys mawr i ddechrau yng Nghastell Henllys,
peidio â chroesi'r bont yn Nanhyfer, aros ar faes parcio'r dre
yn Nhrefdraeth, a gorffen y daith ym mhentre Dinas. Nid
yw'r heolydd cul o gwmpas Pentre Ifan a Chwmyreglwys yn
addas i gerbydau trwm.

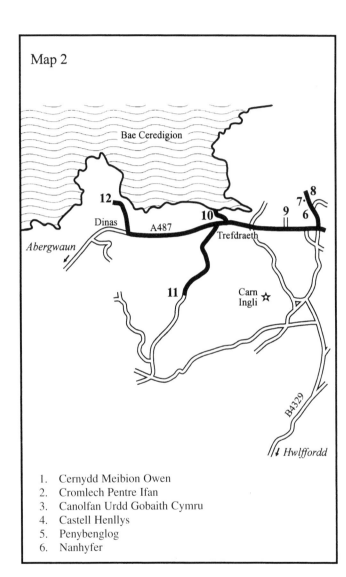

Map 2

1. Cernydd Meibion Owen
2. Cromlech Pentre Ifan
3. Canolfan Urdd Gobaith Cymru
4. Castell Henllys
5. Penybenglog
6. Nanhyfer

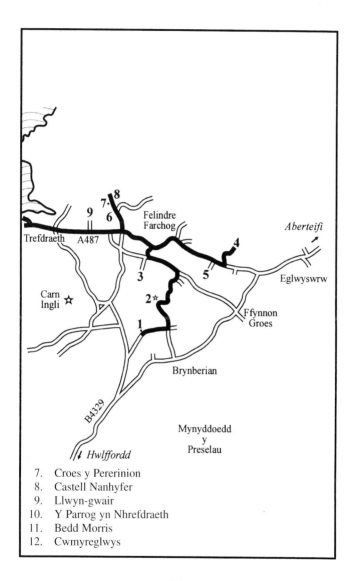

Felindre
Farchog

Aberteifi

Trefdraeth   A487

Carn
Ingli

Eglwyswrw

Ffynnon
Groes

Brynberian

B4329

↓ *Hwlffordd*

Mynyddoedd
y
Preselau

Cernydd Meibion Owen

Nid oes yma ond tir garw, ysgithrog, a phentyrrau anferth o greigiau yn herio'r gwyntoedd a'r glaw. Ardal noethlwm Brynberian yw hi ym mherfeddion cefn gwlad y Preselau (O.S. 192362). Ond beth, tybed, yw'r crugiau enfawr o feini, sy'n peri inni feddwl weithiau, o ystyried eu siâp a'u maint, am byramidiau gwlad yr Aifft? Gadawn i'r daearegwyr chwilio am yr ateb gwyddonol. Hanes a llenyddiaeth sy'n hawlio ein sylw yn bennaf ar y daith hon. Y mae a wnelo'r cernydd hyn â dosbarth o chwedlau a elwir yn *llên y bonheddig*.

Gellir rhannu'r chwedlau Cymraeg a drosglwyddwyd inni yng nghwrs y blynyddoedd yn dri dosbarth. Y dosbarth mwyaf adnabyddus yw'r *Mabinogion*, y chwedlau 'swyddogol' oedd yn cael eu hadrodd yn llysoedd y pendefigion ar hyd a lled y wlad. Dosbarth toreithiog hefyd, o ran eu cynnwys a'u gwead, yw'r

Un o gernydd Meibion Owen.

chwedlau *llên gwerin*. Dyma gorff o lenyddiaeth sy'n bwrw golwg ar arferion a thraddodiadau'r bobl gyffredin. Ond y dosbarth lleiaf adnabyddus, yn ddiamau, yw'r chwedlau a elwir yn *llên y bonheddig*. Yr oedd gan y gwŷr bonheddig hwythau eu casgliadau preifat o chwedlau. Fe'u cedwid gan amlaf o fewn cylch y teulu a'u trosglwyddo o genhedlaeth i genhedlaeth yng nghartrefi'r gwŷr mawr. Mewn un ystyr, rhyw fath o gasgliadau 'cyfrinachol' oeddynt, a chyda diflaniad y teuluoedd bonheddig o'r tir, fe aeth llawer o'r storïau ar goll yn nhreigl y canrifoedd. Llawysgrif a gedwid gan David Thomas, Parc-y-prat, yng nghyffiniau Llandudoch oedd yn cynnwys y stori am Gernydd Meibion Owen. Cafodd yr hanesydd George Owen, Henllys (1552-1613), afael arni a'i diogelu gyda'i gasgliad swmpus o lawysgrifau a gedwid yn ei gartref yn Nanhyfer. Dyma fraslun o'r stori.

Roedd Owen ap Robert ap Einion Fawr o Goed Cil-rhydd, Pentre Ifan, a drigai ym mlynyddoedd cynnar y bedwaredd ganrif ar ddeg, yn berchen tiriogaeth eang o gwmpas ardaloedd Nanhyfer, Pentre Ifan a Brynberian. Ganed iddo dri mab. Yr arfer yng Nghymru ers talwm oedd rhannu'r stad yn gyfartal rhwng y meibion wedi marw'r tad. Nid oedd meibion Owen yn fodlon o gwbl ar y drefn hon. Gwell ganddynt hwy oedd gweld un ohonynt yn etifeddu'r diriogaeth gyfan iddo'i hun. Er mwyn datrys y broblem penderfynasant fynd i ymladd â'i gilydd i weld pa un ohonynt oedd y trechaf a gadael i hwnnw hawlio'r dreftadaeth yn ei chrynswth wedi dyddiau'r tad. Ciliasant i'r llecyn a elwir heddiw yn Gernydd Meibion Owen ar gyfer yr ornest fawr. Hwyrach y bwriedid i'r cernydd fod yn gaerau neu amddiffynfeydd iddynt yn ystod y frwydr. Aethant ati i dynnu coed derw ifainc o'u gwreiddiau yng nghoedwig gyfagos Tycanol a'u defnyddio fel arfau i guro ei gilydd yn ddidrugaredd. Ond ar ddiwedd y dydd, wedi brwydr ffyrnig a digyfaddawd, ni chafodd yr un ohonynt yr afael drechaf ar y llall. Ar ôl iddynt gyrraedd adref yn waed a briwiau o'u pen i'w traed fe gafodd y fam y fath ddychryn o'u gweld nes iddi lewygu yn y fan a'r lle. Yn ddiweddarach, fe gafodd berswâd ar ei gŵr i roi'r dreftadaeth gyfan i un ohonynt er mwyn osgoi ymladdfa arall. Ac felly y bu. Dewisodd Owen y mab hynaf yn etifedd iddo. Ond i wneud iawn â'r ddau arall rhoddodd un ohonynt i wasanaethu yn llys Brenin yr Alban a'r llall i wasanaethu yn llys Brenin Lloegr. Daeth anghydfod y teulu i ben ac nid oes dim yn aros bellach ond y creigiau ysgithrog i'n hatgoffa am greulondeb y chwedl.

Cwlwm Tristan

Cyn gadael Cernydd Meibion Owen y mae un stori sy'n werth ei hadrodd. Gwilym ab Owen oedd enw'r mab a anfonwyd i wasanaeth Brenin Lloegr. Daeth yn enwog ar sail ei allu fel milwr, ac fe'i hanfonwyd gyda byddin y brenin i ymladd yn Ffrainc. Fodd bynnag, trefnwyd cadoediad rhwng byddinoedd y ddwy wlad a daeth milwyr Lloegr a milwyr Ffrainc yn gyfeillion – dros dro o leiaf! Ond yn ystod y cadoediad fe aeth Tristan (a gyfrifid yn bencampwr byddinoedd Ffrainc ar faes y frwydr) i ymffrostio yn ei allu fel rhyfelwr, a rhoes her i unrhyw un o'i elynion i'w wrthwynebu mewn ymryson. Derbyniodd Gwilym y sialens. Gwisgodd y ddau ohonynt eu harfau a marchogaeth eu ceffylau rhyfel i brofi pa un oedd y trechaf. Ysywaeth, ni allai Tristan wrthsefyll egni corfforol a ffyrnigrwydd y Cymro o Bentre Ifan a lladdwyd ef ar faes yr ymrafael.

Cythruddwyd y ddau frenin yn fawr a chynigiodd Brenin Lloegr ddienyddio Gwilym am ei drosedd o dorri'r cadoediad a pheri i'r ddwy fyddin baratoi drachefn ar gyfer ymladdfa arall. Ond roedd Brenin Ffrainc yn fwy cyfrwys. Ceisiodd hawlio Gwilym yn ŵr arfog iddo'i hun i gymryd lle Syr Tristan. Ond ni fynnai Brenin Lloegr ffarwelio â'i filwr galluocaf. Erbyn hyn mae'n ymddangos fod pawb yn gyfeillion ac fe roes Brenin Ffrainc arbais Tristan yn rhodd i Gwilym am ei fedr a'i wrhydri fel ymladdwr. Ar ôl i'r osgordd frenhinol ddychwelyd i Lundain, Gwilym, yn anad neb arall, oedd arwr y ddinas. Fe'i gwnaed yn gyfaill personol y Brenin a'i alw yn bencampwr ymladdwyr y deyrnas.

Ond ymhen amser fe ddechreuodd Gwilym hiraethu am ei hen gynefin ym Mhentre Ifan. Mae'n anodd tynnu 'dyn y wlad' oddi ar ei wreiddiau ac mae'n debyg iddo weld eisiau rhamant a dirgelion coedwig Tycanol, dyfnder ac ehangder yr wybren lydan, a chadernid y creigiau ar gopaon Carn Ingli. Gofynnodd am ganiatâd i ddychwelyd adref. Roedd hyn yn siom fawr i'r Brenin a oedd wedi ymserchu cymaint ynddo fel milwr a chyfaill. Ond ni wrthodwyd ei gais. Yn wir, fe sicrhaodd y Brenin stad doreithiog iddo yng nghymdogaeth Nanhyfer a dychwelodd Gwilym i Gemais i drin y tir, hela'r fforestydd a chwilio am wraig. Mae'n ddiddorol hefyd fod Cwlwm Tristan yn un o'r arfbeisiau a ddefnyddid gan deulu Boweniaid

Llwyn-gwair cyn belled yn ôl ag 1458; ac fe'i gwelir heddiw – sieffrwn a thri chwlwm arian ar darian goch – ar feddfaen William Warren yng nghangell Eglwys Nanhyfer.

Gadawn y storïau gwaedlyd yn nhueddau Brynberian a dilyn yr heol wledig hyd y gyffordd gyntaf, troi ar y chwith, a dilyn y gulffordd honno am ryw filltir o daith hyd nes inni gyrraedd y gilfach barcio ar bwys y fynedfa sy'n ein tywys at gromlech Pentre Ifan.

Cromlech Pentre Ifan

Wrth gerdded i gyfeiriad y gromlech y mae holl awyrgylch y cynfyd o'n cwmpas ym mhobman. Creigiau oesol Carn Ingli o'n blaenau a'r prysgwydd a'r mân goedwigoedd ar y llaw dde rhyngom a glesni'r môr yn Nhrefdraeth. Cromlech Pentre Ifan (O.S. 198370) yw un o henebion prin yr ardal hon sydd yng ngofal Cadw. Dyma ymateb Gerallt Lloyd Owen iddi:

> Cerrig ar gerrig geirwon, – y deall
> Rhwng duwiau a dynion;
> Ias hen hil sy'n ei holion,
> Hud hen fyd dan fwa hon.

Siambrau claddu o Oes y Cerrig yw'r cromlechau. Y mae cromlech Pentre Ifan, yn ôl yr hanes sydd wedi ei baratoi inni ar y bwrdd gwybodaeth, yn perthyn i'r cyfnod 3,500 C.C. Arfer y dyn cyntefig oedd claddu nifer o feirwon gyda'i gilydd yn y fynwent gerrig. Gwyddys hefyd fod y gromlech yn cael ei defnyddio yn feddrod i gladdu'r marw dros gyfnod hir o amser cyn iddi gael ei chau a'i selio'n derfynol. Myn rhai

Cromlech Pentre Ifan.

haneswyr fod y gromlech yn cael ei defnyddio yn rhyw fath o ganolfan i ddwyn y bobl gyntefig at ei gilydd i arfer defodau a chynnal traddodiadau Oes y Cerrig. Roedd y siambr gladdu ei hun, bob amser, wedi ei gorchuddio â thwmpath mawr o bridd a mân gerrig. Ond, yn naturiol, fe ddiflannodd y 'gorchudd' gyda threigl y canrifoedd heb adael dim ar ôl ond y fframwaith o gerrig mawr. Yn ôl yr hanesydd J.E. Lloyd, cromlech Pentre Ifan yw'r berffeithiaf ym Mhrydain i gyd. Amcangyfrifir hefyd fod y garreg gapan yn pwyso o leiaf un ar bymtheg o dunelli!

Rwy'n cofio ymweld â'r lle beth amser yn ôl a chanfod tarw dur wrthi yn dymchwel rhai o'r cloddiau cyfagos. Roedd sŵn ffrwydradau yn y pellter hefyd – rhywrai yn chwalu'r creigiau at ddibenion yr oes fodern. Rywsut, ni allwn beidio â sylweddoli fod y dyn cyntefig wedi codi'r gromlech â nerth ei fraich yn unig. Ond roedd angen mwy na'i egni corfforol arno i gyflawni'r fath dasg. Roedd angen crebwyll a dyfeisgarwch hefyd i gynllunio a gosod y meini anferth yn eu lle. Dyma'r ysgogiad y tu ôl i'r gerdd 'Pentre Ifan':

Llonydd yw'r gromlech grwca
dan drem Carn Ingli,
solet ei thraed ar y Parc Cenedlaethol,
a thunelli o ddyfalu ysgolheigaidd
ym mhatrwm y cerrig lluniaidd.

Hon
yw'r hanesydd cyfoes,
tyst
y diwylliant paganaidd,
treflan y meirw hirwallt
fu'n hela'r moelydd a dwyfoli'r haul.

Yr haul croesawgar sydd yn denu'r twristiaid
i fyseddu'r meini llaith
(yn sŵn y teirw dur ar stad Llwyn-gwair
a'r ffrwydron cyfalafol yn y graig)
cyn llithro o'i ddyddgwaith
i wely'r môr
a gado'r nos gyntefig ar y bryniau.

Ie,
mudan yw'r gromlech grwca
dan drem Carn Ingli
wrth ddannod i'n hoes eiddilwch ein llaw.

Cofadail penseiri'r cynfyd.

Wedi gadael cromlech Pentre Ifan trown ar y chwith ar y gyffordd gyntaf, dilyn y ffordd am ryw filltir, a sefyll ar bwys y fynedfa i ffarm Pentre Ifan. Na. Nid ffarm ydyw bellach ond Canolfan Addysgol Urdd Gobaith Cymru. Onid yw arwyddlun mawr yr Urdd ar ben y lôn yn ein hatgoffa ein bod wedi camu o'r cynfyd yn nhueddau'r gromlech i ganol yr oes fodern? Ond y mae hanes diddorol ynghlwm wrth ffarm Pentre Ifan. Tŷ a sgubor yn perthyn i Oes y Tuduriaid ydyw.

Canolfan yr Urdd ym Mhentre Ifan

Gellir olrhain achau rhai o dylwythau niferus y cartre hwn (O.S. 092381) yn ôl i gyfnod cynnar iawn yn ein hanes fel cenedl. Diolch i'r beirdd crwydrol, ar eu hymweliadau â Nanhyfer, am lunio achresi rhai o'r teuluoedd bonheddig a chanu marwnadau i'w noddwyr. Mae'n amlwg fod Pentre Ifan yn un o ganolfannau'r croeso, y gwledda a'r mawl yn ystod oes aur y cywydd. Yr oedd hi'n arferiad gan y beirdd, ar farwolaeth y penteulu, i lunio marwnad oedd yn croniclo llinach yr ymadawedig hyd yr wythfed ach. Clamp o 'goeden deulu' fydryddol sy'n ffynonellau gwerthfawr i'r sawl sy'n ymddiddori mewn hel achau. Roedd y farwnad hefyd yn enwi gwraig a phlant yr ymadawedig yn ogystal â chanmol ei haelioni fel noddwr a phenteulu.

Yn ôl pob tebyg roedd Einion Fawr o'r Coed, y soniwyd amdano eisoes wrth draed Cernydd Meibion Owen ar ddechrau'r daith, yn un o breswylwyr cynnar Pentre Ifan. Credir mai Coed Cil-rhydd oedd enw cyntaf y plasty neu'r ffermdy nodedig hwn. Yr enwocaf o uchelwyr Pentre Ifan, efallai, oedd James ab Owen.

90

Aeth gydag Iarll Richmond i ymladd ym Mrwydr Bosworth yn 1485 ac fe'i dyrchafwyd yn farchog gan Harri'r VII ar sail ei deyrngarwch i Dŷ Caerhirfryn. Dyma ddisgrifiad Dafydd Nanmor ohono:

> Un dyn yn ei flaen nid aeth,
> Ond Duw, o berchentyaeth.

Dweud go fawr!

Roedd priodasau'r gwŷr mawr yn y cyfnod hwn yn plethu drwy ei gilydd fel canghennau a brigau'r dderwen. Roedd y sgwieriaid hefyd yn byw yn fras ar eu hadnoddau, ac yn planta'n drwm. Ond ysywaeth, nid oeddynt bob amser, ychwaith, yn ymddwyn fel 'boneddigion' a chawn yr hanes am rai ohonynt yn cael eu cosbi am weithredoedd ysgeler a hyd yn oed yn wynebu'r grocbren am gyflawni llofruddiaethau. Ond stori (neu nofel!) arall yw honno. Fodd bynnag, daliodd teulu'r Boweniaid ei afael ar Bentre Ifan am o leiaf bum canrif. Ond fel y gwyddys bellach datgymalu'n raddol a wnaeth yr ystadau mawrion ac fe aeth Pentre Ifan hefyd ymhen amser, yr un fath â'r rhan fwyaf o gartrefi'r ysweiniaid eraill, yn ddim ond ffermdy cyffredin a dinod.

Rwy'n cofio ymweld â'r lle rywbryd tua chanol y saithdegau wrth ysgrifennu dilyniant o gerddi yn ymwneud â lleoedd o bwys hanesyddol yn Sir Benfro. Cefais dipyn o sioc o weld mai llwyth neu gymuned o fechgyn a merched ifainc (dibriod?) oedd yn byw yno:

> Hirwallt a noethlymun fel yr hil gyntefig
> yn torheulo gyda'r rhonwellt tal
> mewn mynwent o fuarth . . .

Roeddwn newydd droi cefn ar gromlech gyfagos Pentre Ifan a chefais yr argraff am ennyd fy mod wedi dychwelyd ar ryw daith gyfrin ar donfeddi'r canrifoedd! Tybed ai ceisio efelychu'r dyn cyntefig yn ei ffordd o fyw oedd y gymuned hon? Ond nid rhyw giwed wyllt anghyfrifol oedd y bobl hyn ychwaith. Hwy oedd yn gyfrifol yr adeg honno am gynhyrchu'r cylchgrawn Saesneg *Resurgence*. Cyfnodolyn deufisol ydoedd. Swmpus a diddorol ei gynnwys. Roedd crynodeb o amcan a phwrpas y cylchgrawn wedi ei osod yn glir a diamwys ar y tudalen flaen ac y mae'n werth ei ddyfynnu'n llawn :

Resurgence (Journal of the Fourth World) *is concerned with small nations, small communities, decentralisation, ethnic cultures, community technology, self sufficiency, and back to the land. It is a philosophical, ecological and spiritual forum.*

Onid oedd ansawdd a dibenion diwylliant Pentre Ifan wedi newid cryn dipyn ers dyddiau'r boneddigion a beirdd yr uchelwyr?

Ond daeth tro ar fyd. Derbyniodd Urdd Gobaith Cymru adeiladau Pentre Ifan yn rhodd gan wraig o Lundain yn 1978, eu hadnewyddu, a throi'r lle'n ganolfan addysgol i astudio'r amgylchfyd. Fe'i hagorwyd yn 1992. Ymhlith y cyrsiau a gynigir y mae 'Coed a bywyd y goedwig', 'Bywyd glanmôr', 'Hanes lleol', 'Daeareg' ac 'Amaethyddiaeth'. Wrth adnewyddu'r tŷ a'r sgubor ceisiwyd diogelu pensaernïaeth yr adeiladau gwreiddiol sy'n dyddio cyn belled yn ôl ag 1485, a phenodwyd Swyddog Datblygu llawn amser i ofalu am y ganolfan. Yng ngeiriau Dilys Parry, Hwlffordd, sy'n un o ddisgynyddion y teuloedd

Hen sgubor Duduraidd ar ffarm Pentre Ifan.

cynnar – 'Mae'r lle unwaith eto yn fwrlwm o Gymreictod a sŵn lleisiau plant'. Onid yw rhod amser yn dal i droi?

Trown ar y dde gyferbyn â Chanolfan Pentre Ifan, dilyn y ffordd gul am ryw filltir, troi ar y dde ar gyffordd yr A487 yn ymyl pentre Felindre Farchog, a throi ar y chwith ar bwys yr arwydd sy'n ein gwahodd i fryngaer Castell Henllys.

Bryngaer Castell Henllys

Ie'n wir, rhyw fwhwan ar hyd y canrifoedd yw dechrau'r daith hon; ymweld ag Oes y Cerrig o gwmpas y gromlech a bwrw cip ar fywyd uchelwyr yr Oesoedd Canol ym Mhentre Ifan. A dyma droi'r cloc yn ôl eto i gipio awyrgylch Oes yr Haearn yma ar lannau afon Duad yn nhawelwch plwyf Meline. Eiddo Parc Cenedlaethol Arfordir Sir Benfro yw Bryngaer Castell

93

Henllys (O.S. 117390). Fe'i prynwyd gyda chymorth Cefn Gwlad Cymru' a Chadw (Henebion Cymru) yn 1991. Anheddfa gaerog o'r Oes Haearn wedi ei hailgreu yw'r 'arddangosfa' hon, a cheir tystiolaeth archaeolegol bendant fod pobl yn byw ac yn ffermio yma oddeutu 400 O.C.

Camu i dueddau'r gorffennol a wnawn eto wrth grwydro'r llwybrau hunan-dywys o gwmpas y gaer, ac nid oes prinder byrddau esbonio (cynnil a diddorol) yn rhoi pob math o wybodaeth inni ynglŷn ag arferion a ffordd o fyw trigolion Oes yr Haearn. Cawn wybodaeth annisgwyl am y defnydd a wnaed o berlysiau ar gyfer coginio a dibenion meddygol fel ei gilydd; ynghyd â hanes y crochenwaith a'r offer haearn sydd wedi ei gloddio o'r gaer. Diddorol, a dweud y lleiaf, yw hanes yr hen dduwiau paganaidd hefyd. Roedd llawer o symbolau'r duwiau Celtaidd ar ffurf pennau cerfiedig. Credai'r Celtiaid fod enaid dyn yn ei ben, a bod yr ysbryd yn y pen yn byw ar ôl marwolaeth ei berchennog! Mae'n ddigon posibl hefyd eu bod yn casglu'r pennau at ei gilydd ar ôl y brwydrau niferus rhwng y llwythau, ac yn eu harddangos fel symbolau o'r grym dwyfol. Yn wir, nid oes prinder pennau cerfiedig o gerrig a boncyffion coed o gwmpas Castell Henllys ychwaith i'n hatgoffa am yr hen grefydd baganaidd ac ofergoelus ers talwm.

Ond uchafbwynt y daith, efallai, yw cael y cyfle i archwilio'r tai crynion to gwellt sydd wedi eu dodrefnu a'u haddurno yn null Oes yr Haearn. Cawn olwg ar y graneri, yr efail a'r cytiau anifeiliaid, i gyd wedi eu hailgreu ar sylfeini'r adeiladau gwreiddiol a ddarganfuwyd drwy waith yr archaeolegwyr. Y mae'r cyfan yn wefreiddiol o fyw gyda dynion wedi eu gwisgo fel pobl yr oes honno yn egluro cynnwys ac adeiladwaith y tai wrth yr ymwelwyr. Ffermwyr oedd trigolion Oes yr Haearn. Eu prif fwydydd oedd y gwenith a'r barlys a dyfid ar y ffarm. Roedd y grawn yn cael ei falu'n flawd a bara'n cael ei bobi mewn ffyrnau clai. Gwnaed uwd a chwrw o'r grawn hefyd, yn ogystal â thyfu ffa a ffacbys. Un o atyniadau mwyaf diddorol y gaer heddiw yw'r cyfle i weld yr anifeiliaid byw yn cael eu cadw mewn cytiau ac ar feysydd pori'r safle hanesyddol. Mathau hynafol o wartheg, defaid, geifr a moch yw'r rhan fwyaf o anifeiliaid y ffarm, a'r rheini gan amlaf yn union yr un fath â'r rhywiogaethau a ddarganfuwyd yng ngweddillion yr esgyrn cyn-hanes a ddaeth i olau dydd yng Nghastell Henllys.

Trefnir nifer o weithgareddau amrywiol hefyd ar hyd y tymor i ddiddori'r ymwelwyr. Un o'r atyniadau mwyaf lliwgar a chyffrous yw'r portread, byw iawn, o'r

Tai crwn ar safle Castell Henllys.

milwr Celtaidd yn herio ei elynion ar faes y frwydr. Nid oedd y Celtiaid yn hoff o wisgo arfau. Gwell ganddynt hwy oedd ymladd yn noethlymun gan ddefnyddio'r darian fawr i'w hamddiffyn. Cleddyfau a gwaywffyn oedd eu harfau. Byddai rhai o'r milwyr yn golchi eu gwallt â chalch a'i gribo wedyn er mwyn iddo edrych fel mwng ceffyl ac eraill yn torri lluniau ar eu cyrff noeth. Nid yw'n syndod o gwbl fod dod wyneb yn wyneb â milwr o Gelt yn siŵr o godi dychryn ar ei wrthwynebwyr!

Cyn gadael y fryngaer mae'n werth troedio'r llwybr cerfluniau a grewyd gan artistiaid lleol. Seiliwyd yr arddangosfa ar rai o themâu'r *Mabinogion*. Ymhlith yr artistwaith y mae cerflun carreg o Olwen, y Twrch Trwyth, a delw o Ysbaddaden Bencawr wedi ei gerfio o fôn coeden. Cofiwn fod y Twrch Trwyth yn chwedl *Culhwch ac Olwen* wedi dianc o Borth Clais i Ddaugleddyf, ac o Ddaugleddyf i Ddyffryn Nyfer, cyn dianc drachefn i Gwm Cerwyn yn y Preselau. Felly, y mae rhyw naws leol yn perthyn i'r cyfan. Fodd bynnag, dadl yr arlunwyr yw fod y chwedlau hyn yn cael eu hadrodd gan breswylwyr gwreiddiol Castell Henllys yn ystod Oes yr Haearn. Ni thâl inni ddadlau!

Dychwelwn eto i'r ffordd fawr, troi ar y dde, ac aros yn y gilfach barcio ar y chwith rhyw bedwar canllath o fynedfa Castell Henllys. Yr ydym yn ymyl mynedfa'r feidr sy'n arwain i ffermdy PENYBENGLOG. Dyma gartref George (Siors) William Griffith (1584-1655), achydd a chyfreithiwr. Ef hefyd oedd un o brif noddwyr y beirdd yn ardal Nanhyfer ar ddiwedd yr Oesoedd Canol. Ond ei brif gamp, efallai, oedd diogelu casgliad o gywyddau ac awdlau sy'n ddrych o'r gyfundrefn farddol yng Nghymru yng nghyfnod dirywiad y canu caeth. Bodlonwn y tro hwn ar ddyfynnu un englyn o waith Robert Dyfi sy'n pwysleisio arwyddocâd y llew ar bais arfau teulu Penybenglog slawer dydd:

> Llew Brytan buan bob awr, – gŵyl feirddion
> Glew fawrddysg perffeithfawr;
> Llew llawfaeth a llu lliwfawr,
> Llew Kyhelyn melyn mawr.

Dilynwn y ffordd fawr eto hyd groesffordd Temple Bar, troi ar y dde, a dilyn y B4582 wrth ddisgyn ar ein pennau i bentre hynafol Nanhyfer.

Nanhyfer

Wrth fynd heibio Gwesty Tre-wern ni allwn beidio â sylwi ar y llew aur mewn wrlys o rosynnau aur ar darian asur yn crogi uwchben y porth. Dyma arfbais Gwynfardd Dyfed, un o hen benaethiaid y dalaith, a thad Cuhelyn Fardd y cyfeirir ato yn llinell olaf englyn Robert Dyfi i Benybenglog. Defnyddiwyd yr arfbais hon yn ddiweddarach hefyd gan deuluoedd bonheddig Bowen Llwyn-gwair a Warren Tre-wern a oedd yn honni eu bod yn ddisgynyddion union-gyrchol o linach Gwynfardd.

Arfbais Gwynfardd Dyfed y tu allan i Westy Tre-wern.

Wrth ddynesu at y bont y mae naws yr hen fyd i'w deimlo ymhobman. Y mae afon Nyfer yn nodedig am ei physgod a'i physgotwyr, a daw cerdd Gareth Alban Davies i Nanhyfer yn fyw o flaen ein llygaid:

> Ymsythai'r afon fel saeth
> gan yrru brath yr heli
> i glwyf y tir;
> ac yna dacw hi eilwaith,
> yn ymdroelli yn ein hymyl
> fel neidr ar darian . . .

Rhaid darllen y gerdd gyfan i'w gwerthfawrogi'n llawn. Wedi croesi pont yr afon y mae tŵr yr eglwys sy'n llechu ynghanol y coed yn siŵr o lygad-dynnu pob ymwelydd effro. Yn wir, oherwydd taldra'r coed a muriau uchel y dyffryn o'i chwmpas, mae'r fynwent a'r eglwys ei hun yn 'dywyll' hyd yn oed ar ddiwrnod heulog yn yr haf. Eto i gyd, y mae rhyw hudoliaeth na ellir ei esbonio mewn geiriau yn ein denu tua'r fangre unigryw a hanesyddol hon yng nghantref Cemais (O.S. 083400).

Yr Ywen Waedlyd

Wrth gerdded drwy glwyd y fynwent tua phorth yr eglwys awn heibio i res o goed yw. Y mae hynodrwydd arbennig yn perthyn i un ohonynt, a dyma ymateb Dillwyn Miles i'r 'rhyfeddod' hwn mewn soned gofiadwy a ysgrifennwyd ganddo pan oedd yntau'n fyfyriwr ifanc yn y coleg:

> Ymlaen drwy rengoedd rhyw warchodlu du
> Yr aethom, lawlaw, parth â phorth y llan;

Pob gwyliwr yn ei lifrai – ddeiliog lu –
    Ond un a'i glwyf yn gwaedu dros y fan,
Yr ywen waedlyd friw . . .

Ie, ar adegau yn unig, y mae'r goeden yn dioddef o'r misglwyf, ond y mae gweld y gwaed yn diferu o'r boncyff i gronni'n bwll soeglyd ar lawr y fynwent yn ddigon i ysgwyd y galon galetaf. Dywed traddodiad fod gŵr ifanc wedi ei grogi ar gam ar gangen o'r goeden hon yn y bedwaredd ganrif ar bymtheg ac mai arwydd o ddialedd am y camwri hwnnw yw'r diferion gwaed. Ond daeth arbenigwyr y coed i'w harchwilio a darganfuwyd mai math arbennig o goed yw ydynt, rhyw 700 mlwydd oed, ac mai resin naturiol yw'r sudd cochliw sy'n diferu o'r boncyff. Onid yw'r gwyddonydd, yn aml iawn, yn lladd y rhamant sy'n perthyn i lên gwerin?

Yr ywen yn gwaedu ym mynwent
Eglwys Nanhyfer.

99

Sant Brynach

Tŵr Normanaidd sydd i'r eglwys, ond credir iddi gael ei chodi ar sail eglwys gynharach a adeiladwyd yn y chweched ganrif. Fe'i cysegrwyd i Frynach Sant. Y mae'r wybodaeth sydd gennym am Frynach, yr un fath â chynnwys y Bucheddau a luniwyd i saint eraill yr Eglwys Geltaidd, yn gymysgfa o ffeithiau hanesyddol, llên gwerin ac wmbredd o chwedlau yn ymwneud â'r goruwchnaturiol. Dyma ymgais i fwrw golwg yn fras ar hanes ei fywyd a'i yrfa.

Ganed ef yn Iwerddon tua diwedd y bumed ganrif. Dyma paham y cyfeirir ato weithiau fel Brynach Wyddel. Roedd y Rhufeiniaid bellach wedi encilio o Brydain a llawer o benaethiaid Gwyddelig yn rheoli mewn rhannau o Gymru. Gwyddel oedd Anlach y dywedir iddo fod yn bennaeth Brycheiniog. Priododd â Marchell, tywysoges leol, a ganed iddynt fab o'r enw Brychan. Anfonwyd y bachgen i fwrw ei lencyndod yn Iwerddon gan mai yno yr oedd gwreiddiau'r teulu. Ond ymhen amser, wedi dyddiau ei dad, dychwelodd i Frycheiniog i fod yn frenin y dalaith. Daeth â Brynach gydag ef, i fod yn gaplan iddo, a hefyd i weithredu fel tiwtor i'w blant.

Wedi iddo ymsefydlu yng Nghymru (yr un fath â llawer o saint 'Cymreig' ei gyfnod) fe aeth Brynach ar bererindod i Rufain. Ar ôl ffarwelio â Rhufain bu'n cenhadu yn Llydaw am rai blynyddoedd. Ond penderfynodd ddychwelyd i Gymru. Casglodd ei ddilynwyr ynghyd a glanio yn Aberdaugleddau. Ond erbyn hyn bu sawl tro ar fyd, ac yr oedd llawer o bobl Cymru wedi troi'n elyniaethus tuag at y Gwyddelod. Ni chafodd Brynach fawr o groeso yn Sir Benfro. Crwydro o le i le fu ei hanes ef a'i ddilynwyr am gyfnod hir. Dywedir iddynt orfod cysgu mewn tŷ gwartheg yn Llanboidy a llochesu mewn ogof yng Nghilymaen-llwyd. Fe'u gyrrwyd yn ddidrugaredd o Bont-faen a'r Dinas hefyd gan agwedd elyniaethus y brodorion lleol. (Yn rhyfedd iawn, sefydlwyd eglwys yn enw Sant Brynach yn y ddau le yn ddiweddarach.) Mae'n ymddangos fod y sant wedi troi'n ffoadur yn ei wlad ei hun. Ond eto, ar yr un pryd, mae'n deg i ddweud fod croeso iddo hefyd mewn rhai ardaloedd. Ni ffarweliodd Brynach â Gogledd Penfro. Ond un diwrnod fe welodd angel yn ymddangos mewn breuddwyd ac yn dweud wrtho, 'Dos yn dy flaen, ac fe weli hwch wen a pherchyll ganddi, a bydded iti aros yno'. Gwireddwyd ei eiriau. Yn fuan wedyn fe welodd Brynach yr hwch wen a'i pherchyll yma ar lan yr afonig Caman ym mhlwyf Nanhyfer; ac aeth ati i sefydlu eglwys yn y fan a'r lle. Daeth Nanhyfer yn ganolfan sefydlog i'r sant o Wyddel.

Dywedir hefyd iddo dreulio oriau bob dydd yn gweddïo y tu mewn i furiau hen gaer Geltaidd ar gopa Carn Ingli a'i fod yn cyfathrachu'n gyson â'r angylion yn y fangre hon. Stori ddiddorol arall a gysylltir â Brynach yw fod y brenin Maelgwn Gwynedd wedi galw i'w weld rywdro ar ei ffordd i'r de i gasglu trethi. Gofynnodd iddo ladd y fuwch orau oedd ganddo i wneud swper iddo ef a'i osgordd. Nid oedd hyn wrth fodd y sant o gwbl. Felly, anfonodd Maelgwn ei weision ei hun i ddal y fuwch a'i lladd. Dodwyd y cig mewn crochan i'w ferwi, ac er bod tanllwyth o dân odano, yr oedd y dŵr yn dal yn oer fel iâ! Dywedir hefyd fod Brynach yn defnyddio ceirw i gludo coed iddo o fforest Nanhyfer a blaidd i gyrchu'r gwartheg ar lethrau Carn Ingli. Yn wir, nid oes pall ar y chwedlau sy'n perthyn i'r sant hwn. Yr oedd Brynach, wrth gwrs, yn un o gyfoeswyr Dewi Sant ac, yn ôl yr hanes, yr oeddynt yn gyfeillion mawr, gyda Dewi yn lletya gyda Brynach yn Nanhyfer bob tro y byddai'n teithio o Dyddewi i Landdewibrefi yng Ngheredigion.

Paham y gelwir Dewi yn nawddsant Cymru? Y mae mwy nag un ateb i'r cwestiwn. Yr ateb a gynigir gan David Fraser yn ei gyfrol *The Invaders* (1962), yw bod mwy o eglwysi Cymru wedi eu cysegru yn enw Dewi nag yn enw yr un sant arall. Yn yr un modd (os derbyniwn y syniad hwn), Brynach yw nawddsant Sir Benfro. Yn ei enw ef y cysegrwyd eglwysi Llanfyrnach, Castell Henri, Cwm yr Eglwys (sy'n adfail heddiw), Dinas a Phont-faen, yn ogystal â Nanhyfer, ei brif ganolfan. Stori gyffrous yw hanes ei fywyd a thybir iddo farw oddeutu O.C. 570.

Y Cerrig Ogam

Wrth ddynesu tua phorth yr eglwys y mae'n rhaid inni aros i gael golwg ar y garreg Ogam sy'n cysgodi ar bwys y cyntedd. Fe'i gelwir yn garreg goffa Vitalianus. Y mae cymar iddi hefyd y tu fewn i'r eglwys wedi ei gosod ar waelod y ffenestr wrth yr esgynfa i'r gangell. Gelwir honno yn garreg goffa Maelog fab Clydau. Meini nadd wedi eu llythrennu mewn Hen Wyddeleg yw'r cerrig Ogam ac y mae o leiaf 36 ohonynt wedi eu darganfod ar dir a daear Sir Benfro. Cynnyrch y bumed, y chweched a'r seithfed ganrif ydynt yn ôl yr archaeolegwyr, a gwyddys fod cysylltiad agos rhwng

Cymru ac Iwerddon yn y cyfnod hwn. Y mae'n werth nodi mai yn y rhannau o Iwerddon sydd gyferbyn â Dyfed – Corc, Cerri a Waterford, y ceir nifer helaeth o gerrig Ogam y wlad honno hefyd.

Ond pwy yn y byd yw'r bobl anhysbys sy'n cael eu coffáu ar y cerrig Ogam? Mae'n siŵr eu bod hwythau yn eu dydd yn rhywrai o bwys a dylanwad. Mae'r ddwy garreg Ogam sydd yma yn Nanhyfer yn gerrig dwyieithog hefyd. Ysgythrwyd enwau'r ymadawedig mewn Ogam a Lladin. Onid yw olion a dylanwad y Rhufeiniaid a'r Gwyddyl wedi eu cydblethu yn niwylliant cynnar y parthau hyn o Ddyfed? A phwy sy'n sôn heddiw am roi statws cyfartal i'r Gymraeg a'r Saesneg yng Nghymru? Onid yw'r enghreifftiau cynharaf sydd gennym o ddefnyddio iaith weladwy yn arddel yr egwyddor hon! Dylid nodi hefyd fod yr arfer o ddefnyddio'r wyddor Ogam wedi chwythu ei phlwc erbyn O.C. 650. Y mae'r cerrig nadd sy'n perthyn i'r canrifoedd dilynol wedi eu haddurno â llun croesau o bob math. Symbolau Cristnogol oedd biau'r dydd.

Y Groes Geltaidd

Un o brif atyniadau Nanhyfer, heb unrhyw amheuaeth, yw'r Groes Geltaidd. Saif yn dal ac urddasol o dan ganghennau'r coed wrth fur yr eglwys. Carreg yw hon sy'n perthyn i'r ddegfed neu'r unfed ganrif ar ddeg. Yr oedd crefft y cerflunwyr yn datblygu gyda threigl y canrifoedd ac fe aeth yn arfer gennym i alw'r croesau uchel, addurnedig yn Groesau Celtaidd. Mae'n wir na fedrwn ymffrostio'n ormodol ynddynt fel celfyddyd-waith o'u cymharu â chroesau a chofgolofnau'r

Y Groes Geltaidd.

Gwyddelod tua'r un cyfnod. Ond y maent o leiaf yn dyst o weithgarwch cerflunwyr cynnar yng Nghymru hefyd. Mae'n werth nodi, efallai, mai pum Croes Geltaidd sydd yn Ne Cymru i gyd, ac mae'n syndod braidd fod tair ohonynt wedi eu lleoli yn Sir Benfro. Caeriw a Phenalun ym mhegwn y de sydd biau'r ddwy arall. Ymhlith y patrymau cerfiedig ar Groes Geltaidd Nanhyfer y mae'r llythrennau *d n s* sydd yn ôl pob tebyg yn dalfyriad o *dominus*, y gair Lladin am Arglwydd.

Cyfeirir at Groes Geltaidd Nanhyfer yn aml hefyd fel Croes Sant Brynach a rhoddir sylw arbennig iddi gan W. J. Gruffydd (Elerydd) yn y gerdd 'Nanhyfer' a deledwyd ar *Heddiw* B.B.C. Cymru adeg y Pasg 1970 ac a gyhoeddwyd yn ddiweddarach yn y gyfrol *Cerddi'r Llygad* (1973):

> Tair troedfedd ar ddeg o groes Geltaidd
> Yn dal a gosgeiddig o dan haul a lleuad.
> Ar y seithfed o Ebrill dôi'r gog i ganu ar ei phen.
> Mae'r ysgrifen gyfrin ar ei bron
> A'r cylch tragwyddol o gwmpas y groes.
> Bu addolwyr defosiynol yn penlinio o'i blaen
> Cyn dychwelyd am byth i'r pridd a'r llwch.

Ond beth yw arwyddocâd y cyfeiriad at y gog? Dywed llên gwerin yr ardal eto mai ar ddydd Sant Brynach, y seithfed o Ebrill, yr oedd y gog yn cyrraedd ardal Nanhyfer bob blwyddyn, ac yn tiwnio ei deunod cyntaf o ben y Groes Geltaidd yn y fynwent. Yn ôl traddodiad a gofnodir gan George Owen, Henllys, nid oedd yr offeiriad yn meddwl am ddechrau'r offeren yn yr eglwys tan iddo glywed y gwcw yn canu ar ben y groes.

Un flwyddyn yr oedd hi'n wanwyn diweddar. Eira ar y llawr a phopeth yn rhewi'n glamp. Ni chyrhaeddodd y gog ar gyfer yr offeren ar y seithfed o Ebrill. Penderfynodd yr offeiriad a'r gynulleidfa ddisgwyl amdani yn y fynwent. Hir fu'r aros. Aeth y bore'n brynhawn a'r prynhawn yn hwyr. Ond pan oedd hi'n dechrau nosi dyma'r aderyn llwydlas yn hedfan drwy'r awyr, yn disgyn ar ben y groes, yn tiwnio nodyn cynta'r gwanwyn, ac yn syrthio'n farw gelain ar y llawr rhewllyd. Bu'r daith galed o hedfan ar draws mynyddoedd Ewrop a oedd yn drwm dan eira, a herio gwyntoedd main y Sianel yn ormod o straen iddi. Ond fe gyrhaeddodd mewn pryd i gyflawni ei haddewid! Aeth y gynulleidfa i'r eglwys i gynnal yr offeren. Na. Nid oes prinder chwedlau o bob math yn Nanhyfer.

Carreg Fedd John Jones (Tegid) [1772–1852]

Cyn cefnu ar fynwent yr eglwys y mae'n briodol inni fwrw golwg ar garreg fedd y bardd a'r ysgolhaig John Jones (Tegid). Y mae'r gofeb hon ar lun croes Geltaidd hefyd wedi ei lleoli yn ymyl y fynedfa i gladdfa'r plwy. Ganed Tegid yn y Bala. Cafodd addysg dda yn blentyn ac yn ddiweddarach graddiodd gydag anrhydedd mewn Mathemateg yng Ngholeg yr Iesu, Rhydychen. Yn fuan wedyn urddwyd ef yn gaplan i Goleg Eglwys Crist gyda gofal plwyf Sant Thomas yn y dref. Fe'i cofir yn bennaf fel ysgolhaig Cymraeg a'i brif orchest oedd copïo'r *Mabinogion* o *Lyfr Coch Hergest* i'r arglwyddes Charlotte Guest i'w cyfieithu i'r Saesneg. Yn 1841 cafodd fywoliaeth Nanhyfer. Bu yma am weddill ei oes a dyrchafwyd ef yn ganon yn Eglwys Gadeiriol Tyddewi.

Carreg fedd John Jones (Tegid).

Yr oedd Tegid yn eisteddfodwr brwd ac yn fardd cynhyrchiol. Cyhoeddwyd ei farddoniaeth (ynghyd â bywgraffiad ohono) mewn cyfrol swmpus yn dwyn y teitl *Gwaith Barddonawl* gan ei nai, Henry Roberts, bum mlynedd ar ôl ei farw. Ymddangosodd detholiad o'i gerddi hefyd yn *Beirdd y Bala* (gol: O. M. Edwards). Ni ellir galw Tegid yn fardd mawr. Ond yr oedd ganddo afael sicr ar y mesurau caeth a rhydd fel ei gilydd. Un o'i gerddi mwyaf adnabyddus yw'r cywydd 'Morwynion Glân Meirionnydd', ond bodlonwn y tro hwn ar ddyfynnu ei gân un pennill, 'Tregwynt', i ddangos ei fod yn meddu ar ddoniolwch yn ogystal â'r haen o ddwyster sy'n digwydd mor aml yn ei gerddi. Saif Tregwynt (lle mae ffatri wlân heddiw) heb fod nepell o draeth Aber-mawr:

> Yn Aber-mawr mae'r môr mewn dig
> Yn lluchio cerrig beunydd;
> Ac yn eu chwydu hwynt i'w fol
> Yn llwythi ar ôl ei gilydd.
> Mae yn gormesu ar y tir,
> Ac os gadewir iddo,
> Ym mhen can mlynedd, neu yn gynt,
> Fe lwnc 'Tregwynt' i'w ginio.

Y tu mewn i'r eglwys y mae ffenestri lliw teulu Boweniaid Llwyn-gwair yn wledd i'r llygad. Ond fe gawn gyfle i sôn am y teulu nodedig hwn eto ar ôl inni adael pentre Nanhyfer. Adeiladwyd yr eglwys ei hun ar ffurf croes yn gorwedd ar y ddaear gyda Chapel Henllys-Trewern ar y dde a Chapel Glasdir ar y chwith o bobtu i'r fynedfa sy'n esgyn i'r gangell.

Plac Coffa George Owen, Henllys (1552–1613)

Safwn i edrych ar blac coffa George Owen, Henllys, ar fur dwyreiniol Capel Henllys-Trewern. Fe'i haddurnwyd â llun baedd gwyllt wedi ei glymu wrth lwyn celyn, hen arfbais y teulu ers talwm. Ganed George Owen yn Henllys ar lecyn uchel uwchlaw Cwm Felindre Farchog yn fab i William ac Elizabeth Owen. Fe'i cyfrifir yn un o haneswyr disgleiriaf Oes Elizabeth y Cyntaf. Cyfreithiwr oedd William Owen ac fe brynodd farwniaeth Cemais, tiriogaeth a oedd yn ymestyn bron o Aberteifi i Abergwaun, gan John Touchet yn 1543. Wedi dyddiau ei dad fe ddaeth George Owen ei hun yn arglwydd y farwniaeth. Bu'n briod ddwywaith a chenhedlodd 24 o blant. Yn ogystal â bod yn sgweier gwlad yn derbyn rhenti o'r pum maenor yn ei feddiant, ef hefyd oedd un o ffigurau amlycaf a mwyaf dylanwadol Gogledd Sir Benfro yn ei ddydd. Bu'n Ustus Heddwch am ddeng mlynedd ar hugain, yn Ddirprwy Raglaw Sir Benfro, yn Ddirprwy Is-lyngesydd De Cymru, ac yn Siryf Sir Benfro ddwywaith. Yn ôl yr hanes yr oedd ganddo gartref ysblennydd yn Henllan yn cynnwys gerddi, llynnoedd a physgodfeydd, yn ogystal â choedwigoedd i gadw gêm o hebogiaid. Sefydlodd 'goleg' yn Felindre Farchog hefyd i addysgu plant a phobl ifanc y gymdogaeth.

Ond nid hawdd fu ei fywyd at ei gilydd. Yn wir, treuliodd y rhan helaethaf o'i oes yn cyfreithia â'i elynion ynglŷn â hawliau yn ymwneud â'r farwniaeth. Eto i gyd, cyflawnodd waith aruthrol wrth fynd i'r afael â hanes, hynafiaethau, achau, herodraeth a thopograffeg ei sir enedigol. Cyhoeddodd fap o Sir Benfro yn 1602 i'w roi yn argraffiad 1607 o'r *Britannia*, ac ysgrifennodd yn helaeth hefyd ar nifer o bynciau yn ymwneud â hanes Cymru. Ond ei waith pwysicaf, heb os nac oni bai, yw *The Description of Penbrokeshire*, cyfrol gynhwysfawr yn portreadu hanes Sir Benfro yn yr unfed ganrif ar bymtheg.

Prin iawn oedd y ffynonellau ysgrifenedig yn y cyfnod hwnnw, ac i gyflawni'r fath orchwyl, nid oedd dim amdani i George Owen, ond mynd ar gefn ei geffyl ar hyd a lled Sir Benfro i gasglu deunydd ar ei liwt ei hun. Gan ei fod yn dioddef o gloffni o'i blentyndod ac yn cael ei boeni'n arw gan y gowt a nifer o afiechydon eraill yn hwyrach yn ei oes, y mae'n syndod iddo lwyddo cystal i fynd â'r maen i'r wal. Eto i gyd, yr oedd yn benderfynol o deithio hwnt ac yma yn ôl yr angen i gyflawni ei ddyletswyddau a mynd i'r afael â'i waith ymchwil. Roedd hyn yn golygu teithio i leoedd fel Aberteifi, Hwlffordd, Caerfyrddin, Llwydlo (Ludlow) a hyd yn oed i Lundain. Yr unig ffordd y medrai ddod dros ei anawsterau corfforol oedd gofyn i'w weision i'w godi ar gefn ei geffyl cyn mentro ar ei siwrnai a gofyn drachefn i rywrai ei gario i'w wely gyda'r nos.

Mae *The Description of Penbrokeshire* yn cynnwys 28 o benodau yn ymdrin â daearyddiaeth y sir, ei phobl, rhanbarthau tir, amaethyddiaeth, adeiladau, adar a physgod, ffeiriau a marchnadoedd, trefi, llywodraeth leol, arferion, chwaraeon, ac adloniant. Yn anffodus, ni chafodd gyfle i orffen ail ran y llyfr oedd yn ymdrin yn bennaf â phlwyfi unigol. Ysywaeth, ni chyhoeddwyd y gwaith yn ystod ei oes ef. Fodd bynnag, ymddangosodd rhannau ohono, wedi eu newid a'u cwtogi, gwaetha'r modd, yn *The Cambrian Register*, yn 1795 ac yn 1796, wedi ei olygu gan Richard Fenton. Ond yn 1892,

Coleg George Owen ym mhentre Felindre Farchog.

o dan olygyddiaeth Henry Owen, y cyhoeddwyd *The Description of Penbrokeshire* am y tro cyntaf ar ffurf llyfr. Felly, 280 mlynedd wedi marw'r awdur y daeth campwaith George Owen i sylw'r cyhoedd yn gyffredinol. Un o gymwynasau mawr Dillwyn Miles oedd ailolygu'r testun yn 1994 gan ddiweddaru'r orgraff, ychwanegu nodiadau a mynegai yn ymwneud â'r cynnwys, ynghyd ag ysgrifennu Rhagymadrodd meistrolgar i'r gyfrol.

Dylid nodi hefyd fod George Owen, Henllys, yr un fath â George William Griffiths, Penybenglog, a Thomas Lloyd, Cwmgloyn, yn un o brif noddwyr y beirdd teithiol yn ardal Nanhyfer. Diogelwyd dwy ar bymtheg o awdlau, cywyddau ac englynion iddo ef a'r teulu. Y mwyaf diddorol ohonynt o lawer yw cywydd o eiddo Siôn Mawddwy yn annog George Owen i bwyso ar y Frenhines Elizabeth a'i chynghoriaid i gynnal Eisteddfod i ddiogelu'r gyfundrefn farddol a rhoi statws haeddiannol i'r beirdd swyddogol. Gan fod cylch o noddwyr gan y beirdd yng ngogledd Sir Benfro ar y pryd y mae'n ymddangos fod Siôn Mawddwy am eu gweld hwy yn gwneud yr un fath â'r boneddigion fu'n gefn i eisteddfodau nodedig Caerwys yn 1523 ac 1567. George Owen, felly, oedd y dyn â'r dylanwad priodol i fod yn negesydd ar ran y beirdd i berswadio Ei Mawrhydi i gomisiynu gŵyl ddiwylliannol.

> Aed hwn sydd gowir teni
> At hon ai chynghoriad hi
> A doed ag eisteddfod ynn
> Yw dor ef lle da yr ofyn . . .

Ni fu eisteddfod yn Nanhyfer.

Bu farw George Owen ym mis Awst 1613 yng nghartre ei ferch Elizabeth yn nhre Hwlffordd a chladdwyd ei weddillion yma o dan seiliau Capel Henllys-Trewern yn Eglwys Nanhyfer.

William John Morgan (Penfro) 1846–1918

Cyn gadael yr eglwys y mae'n rhaid bwrw golwg hefyd ar blac coffa William John Morgan (Penfro) a osodwyd ar fur gogleddol Capel Glasdir. Gwnaeth enw iddo'i hun fel offeiriad, bardd, eisteddfodwr ac emynydd. Yn Nanhyfer y ganed ef, ac arferai ei dad ddweud mai wrth iddo gael ei fedyddio ym mreichiau Ioan Tegid, a oedd ar y pryd yn ficer y plwyf, y disgynnodd yr awen arno. Yn fuan wedyn symudodd y teulu i Lanfihangel Penbedw, ac oddi yno i Foncath. Roedd 'Penfro', fel ei dad, yn gerddor da, ac addysgwyd ef yn Ysgol Ramadeg Aberteifi a Choleg Llanbedr Pont Steffan.

Cafodd yrfa lewyrchus fel offeiriad. Bu'n gurad Llanelwy (1875-78); yn ficer Pennant (1878-87); yn ficer Glan Conwy (1887-1904), ac yn rheithor Manafon o 1904 hyd ei farw yn 1918. Enillodd gryn enwogrwydd fel pregethwr. Nid oedd ganddo ryw lawer i'w ddweud wrth yr Eisteddfod Genedlaethol. Ond cymerodd ran flaenllaw yn eisteddfodau Gwilym Cowlyd yn Sir Gaernarfon (a oedd yn cynnwys Arwest a sefydlwyd i geisio disodli Gorsedd Beirdd Ynys Prydain), a bu'n amlwg yng ngweithgareddau Eisteddfod Daleithiol Powys yn ddiweddarach.

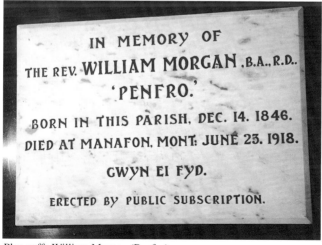

Plac coffa William Morgan (Penfro).

Aed y llengarwyr ati i ddarllen ei fywgraffiad a detholiad o'i gerddi yn y gyfrol *Penfro: Cyfrol Goffa* a olygwyd gan John Davies yn 1924. Roedd 'Penfro' hefyd, yr un fath â Tegid, yn fardd toreithiog yn ymhél â'r mesurau caeth a rhydd fel ei gilydd. Naws grefyddol sydd i'r rhan fwyaf o'i farddoniaeth a chofir ef yn bennaf am ei emynau. Dyma englyn o'i waith yn dwyn y teitl 'Crist yn Brynwr a Barnwr':

Unwaith y cadd ei eni – ein Iesu'n
   Isel i'n cyfodi;
   Eilwaith y daw i holi
   Am y nod fydd arnom ni.

Y tu allan i glwyd yr eglwys y mae esgynfaen carreg (dim ond dau sydd ar ôl yn Sir Benfro bellach) a oedd

Yr esgynfaen a ddefnyddid gynt mewn priodasau y tu allan i fynwent Eglwys Nanhyfer.

yn cael ei ddefnyddio mewn defodau priodasol ers talwm. Wedi i'r priodfab a'r briodferch ddod allan o'r eglwys yr oedd y ddau yn neidio ar gefn yr un ceffyl ac yn peri iddo garlamu ar hyd y ffordd hyd nes bo gwreichion tân yn tasgu o'r pedolau. Wedyn, roedd lliaws o'r gwesteion yn eu hymlid ar gefn eu ceffylau fel pe baent yn ceisio dal y pâr ifanc rhag iddynt ddianc o'u gafael i fyw gyda'i gilydd yn ŵr a gwraig. Hwyl oedd y cyfan. Onid oes rhyw stori gyffrous ynghlwm wrth bob carreg yn y pentre hwn?

Ar ochr chwith y ffordd y mae adeilad yr hen ysgoldy a ddefnyddid ar un adeg gan y bardd John Jenkin 'Ioan Siengcin' (1716-96). Brodor o Lechryd yng Ngheredigion oedd ef ac fe ddaeth yn athro yn Nanhyfer yn 1754 i gadw ysgol o dan nawdd Griffith Jones, Llanddowror. Bu yma am 40 mlynedd. Ef, hyd y gwyddys, yw'r unig fardd a fu'n byw ym mhentre Nanhyfer. Cyhoeddwyd ffrwyth ei awen yn y gyfrol *Casgliad o Ganiadau Difyr* (1823), a chanmolwyd ei gerdd ar achlysur lawnsio'r *Hebog*, llong Thomas Lloyd, Cwm-gloyn, gan neb llai na Saunders Lewis. Y mae acenion y beirdd yn fyw ymhobman o gwmpas yr ardal hon. Trist yw gweld Ysgol Nanhyfer, yr un fath â llawer o ysgolion bach Sir Benfro, wedi cau erbyn hyn.

Cyn gadael y pentref y mae'n rhaid inni droi ar y dde cyn cyrraedd y bont, dringo rhiw serth Pwll y Broga, ac esgyn dros y gamfa ar droad y ffordd, i weld Croes y Pererinion. Os ewch yno tua diwedd mis Awst bydd mes y coed deri yn disgyn fel glaw ar eich pennau. Ond y mae hon yn siwrnai gwerth chweil.

Croes y Pererinion

Croes a naddwyd yn y graig uchel yn ymyl y llwybr sy'n arwain drwy'r goedwig fechan yw Croes y Pererinion (O.S. 081400). Y mae hon yn gofeb o bwys yn hanes Cymru; ac fe'i diogelwyd gan y Ddeddf Henebion yn 1949. Uchelgais pob Cristion ymroddedig yn yr Oesoedd Canol oedd talu o leiaf un ymweliad â chysegr Dewi Sant yn Nhyddewi. Cyfrifid dwy bererindod i Dyddewi yn gyfwerth ag un i Rufain, a thair pererindod i Dyddewi yn gyfwerth ag ymweld â bedd Crist. Rhoes y Pab Calixtus sêl ei fendith ar y gredo hon pan oedd Bernard yn esgob Tyddewi (1115-1146), a chawn yr hanes am bererinion Cristnogol yn tyrru yn heidiau i Lyn Rhosyn (y dyffryn lle adeiladwyd yr Eglwys Gadeiriol) o bob rhan o Gymru gyfan. Dyma dystiolaeth un o feirdd y cyfnod, Ieuan ap Rhydderch (fl.1430-70), yn ei gywydd 'Dewi Sant'. (Mynyw oedd yr hen enw ar Dyddewi.):

> Cystal o'm hardal i mi
> Fyned dwywaith at Dewi
> A phed elwn, cystlwn cain,
> O rif unwaith i Rufain.
> Myned deirgwaith, eurwaith yw,
> A'm henaid hyd ym Mynyw,
> Y mae'n gystal â myned
> I fedd Crist unwaith, fudd Cred.

Yr oedd yna ffordd swyddogol yn dechrau yn Nhreffynnon, Sir y Fflint, yn ymestyn drwy Ruthun, Y Bala, Dolgellau, Ystrad Fflur, Llanbedr Pont Steffan, Aberteifi a Nanhyfer i gyrraedd Tyddewi o gyfeiriad y gogledd. Gelwid hi yn Ffordd y Pererinion. (Gellid

Croes y Pererinion.

gwyro o'r ffordd swyddogol i ymweld ag Ynys Enlli a oedd hefyd yn gysegrfan o bwys.) Yn anffodus, nid oes map cyflawn o dramwyfa'r pererinion wedi ei gadw inni, ond gwyddom eu bod yn ymweld â nifer o gysegrleoedd eraill megis ffynhonnau iacháu, capeli ac abatai yn ystod y daith. Mae yna dystiolaeth fod gan y pererinion ffordd arall hefyd i'w tywys i gysegrfan y sant. Roedd honno yn cychwyn yng Nghasnewydd ac yn dilyn arfordir y de drwy Lanilltud Fawr, Abaty Margam, Abertawe, Caerfyrddin a Hendy-gwyn ar Daf gan gyrraedd Tyddewi o gyfeiriad Hwlffordd. Yr oedd rhwydwaith o fân-ffyrdd hefyd ar hyd a lled y wlad yn ymgysylltu â'r ddwy briffordd, a'r cwbl yn arwain at y cysegr yng Nglyn Rhosyn. Gwyddom hefyd ei bod hi'n arferiad gan y pererinion i gynnal 'oedfa' hwnt ac yma ar hyd y daith, ac yn ôl pob tebyg, un o'r mannau cysegredig hyn oedd Croes y Pererinion uwchlaw pentre Nanhyfer.

Llwyddodd Dillwyn Miles i ddal cyfaredd y llecyn hwn hefyd yn ei soned nodedig:

Myfi a'r fun,
Dringasom dyle at ryw glogwyn mawr,
Lle naddwyd croes a man i blygu glin
I feudwy a phererin oesau'r wawr.

Ydyw, y mae'r 'man i blygu glin' yn aros o hyd islaw'r groes fel pe bai ôl penliniau'r pererinion diddiwedd wedi treulio'n dwll bas yn y graig. Dylid nodi hefyd fod cyflawni penyd (talu iawn am drosedd) yn gallu bod yn un o gymhellion y pererin i fynd ar daith i Dyddewi. Daw i gof weithiau gywydd cellweirus Dafydd ap Gwilym, 'Pererindod Merch', lle mae'n dilyn hynt geneth o Sir Fôn i Lyn Rhosyn i geisio maddeuant am iddi ladd y bardd (o gariad yn ôl pob tebyg!). Ond daeth yr arfer o fynd ar bererindod i Dyddewi i ben, i bob pwrpas, gyda'r Diwygiad Methodistaidd yn y ddeunawfed ganrif.

Gadawn y pererin cyfoes i sefyll yn ymyl y sticil sy'n ei ddwyn yn ôl o Ffordd y Pererinion i'r ffordd fawr ar dro rhiw Pwll y Broga. Yma, y mae golygfa hyfryd o flaen ei lygaid yn lledu dros blasty Llwyn-gwair, bwrdeistref Trefdraeth a chopa creigiog Carn Ingli. Ond rhaid inni ddilyn y ffordd i fyny'r rhiw ac aros yn y gilfach barcio ar y dde. Oes yn wir. Y mae olion rhyfela a thywallt gwaed hyd yn oed mewn llecyn mor naturiol-gysegredig â Nanhyfer. Dyma weddillion yr hen gastell militaraidd.

Castell Nanhyfer

Y tu fewn i'r giât y mae plac llachar yn hysbysu i'r cyngor cymuned lleol dderbyn Gwobr Tywysog Cymru yn 1984 am y cynllun o amlygu a dehongli Castell Nanhyfer (O.S. 082402). Y Cyngor Cymuned yw'r perchenogion presennol a gall y sawl sy'n ymddiddori yn ffurfiant y castell ofyn am dywyslyfr sy'n egluro'n fanwl gynllun ac adeiladwaith yr hen amddiffynfa. Fe'i cysylltir gan amlaf â choncwest y Normaniaid, ond credir i'r castell gael ei adeiladu ar sail rhyw safle gynharach o lawer. Y mae Gerallt Gymro ar ei daith drwy Gymru yn 1188 yn disgrifio castell Nanhyfer fel prif gaer cantref Cemais. Dywed traddodiad hefyd mai yn Nanhyfer yr oedd llys Gwynfardd Dyfed, un o hen benaethiaid y dalaith y soniwyd amdano eisoes, yn ymyl

Gwesty Tre-wern, ac y mae'r ysgolhaig a'r hanesydd D. J. Bowen yn awgrymu mai ar safle llys y pennaeth brodorol y codwyd y castell Normanaidd hefyd.

Ni wyddys dim am Gwynfardd Dyfed ar wahân i'r cyfeiriadau ato mewn rhai chwedlau ac achresi. Yn ôl D. J. Bowen, gellid barnu ei fod yn ei flodau rywbryd tua 1100 neu ychydig ynghynt. Ef, felly, fuasai'r olaf o reolwyr Cymraeg Cemais. Y mae'n werth nodi mai ei fab ef oedd Cuhelyn Fardd, ac un o ddisgynyddion Cuhelyn oedd Gwilym a ymbriododd â'r Elidir o Stackpole. Mab iddynt hwy oedd Einion Fawr o Goed Cil-rhydd, ac wyres i Einion oedd Ardudfyl, mam Dafydd ap Gwilym y bardd o Fro Gynin, a gyfrifir ymhlith y pwysicaf o feirdd y genedl. Dangosodd Francis Jones hefyd fod tua 150 o deuluoedd bonheddig, y mwyafrif ohonynt yng ngogledd Sir Benfro, yn honni eu bod yn ddisgynyddion uniongyrchol o linach Gwynfardd Dyfed. Ymhlith y mwyaf blaenllaw o'r 'prolific stock of Gwynvardd' (chwedl Richard Fenton) yr oedd uchelwyr Pentre Ifan (Coed Cil-rhydd), Llwyn-gwair, Penybenglog, Henllys a Chwmgloyn yng nghymdogaeth Nanhyfer yn unig.

Ond dychwelwn at y castell. Fe'i hadeiladwyd yn yr unfed ganrif ar ddeg. Dyma'r adeg y daeth braich ddur y Norman i feddiannu rhannau helaeth o ddeheudir Cymru. Tua 1093 fe ddaeth Robert FitzMartin dros y môr o Ddyfnaint gan lanio yn harbwr Abergwaun. Llwyddodd i orchfygu'r Cymry ac adeiladu castell yn Nanhyfer. Yr oedd grym aruthrol gan y barwniaid Normanaidd ac fe droes cantref Cemais yn farwniaeth Cemais.

Ond cyn diwedd y ganrif ddilynol yr oedd y castell drachefn yn nwylo'r Cymry. Un o lywodraethwyr cryfaf deheudir Cymru yn y ddeuddegfed ganrif oedd Rhys ap Gruffudd a adwaenir yn aml fel yr Arglwydd Rhys. Yn ogystal â bod yn wrthryfelwr nerthol yr oedd Rhys ap Gruffudd hefyd yn wleidydd craff. Llwyddodd i gymodi â'r brenin Harri II, ac yr oedd y rhan fwyaf o dde Cymru o dan ei awdurdod. Un o'i 'gynlluniau' gwleidyddol oedd trefnu i'w ferch Angharad briodi William FitzMartin a oedd yn dal Castell Nanhyfer yn ogystal â bod yn Arglwydd Barwniaeth Cemais. Ond fe ddaeth tro ar fyd. Wedi marw Harri II a dyfod Rhisiart I yn frenin Lloegr fe ddirywiodd y berthynas rhwng Rhys ap Gruffudd a'r Goron. Ymosododd Rhys ar nifer o gestyll De Cymru a'u cipio o un i un o ddwylo'r Eingl-Normaniaid. Ymhlith ei ymgyrchoedd llwyddiannus yr oedd ymosod ar Gastell Nanhyfer, a gyrru William FitzMartin, ei fab-yng-nghyfraith ef ei hun, o gadarnle barwniaeth Cemais. Rhoddwyd y castell i Gruffydd ei fab. Ond datblygodd rhyw anghydfod rhwng Rhys a'i feibion cwerylgar, a thair blynedd yn ddiweddarach fe ddisodlwyd Gruffydd o'i safle yn Nanhyfer a rhoddwyd y castell yng ngofal mab arall o'r enw Maelgwn. Ond cyn pen fawr o amser fe ddatblygodd rhyw ymrafael arall o fewn y teulu. Y canlyniad fu i Maelgwn a'i frawd Hywel Sais ymosod ar eu tad, ei ddal, a'i garcharu yng Nghastell Nanhyfer. Bu yno am flwyddyn. Ond yn ystod cweryl deuluol arall fe droes Hywel yn erbyn ei frawd ac fe ryddhawyd yr Arglwydd Rhys o'i garchar cerrig. Wedi marw Rhys yn 1197 y mae'n ymddangos fod Castell Nanhyfer yn dal ym meddiant Hywel Sais. Ond yn dilyn cyfres o ymosodiadau gan y Saeson fe gollodd Hywel gestyll Cas-wis a Sanclêr a oedd o hyd yn ei feddiant, ac fe ddinistriodd gastell Nanhyfer yn gyfan gwbl rhag ofn i hwnnw hefyd syrthio i ddwylo'r gelyn. Yn ôl yr *Annales Cambriae* fe gollodd Hywel farwniaeth Cemais yn yr un flwyddyn.

Nid yw'n hollol glir beth a ddigwyddodd i William FitzMartin a'i wraig Angharad wedi iddynt gael eu gyrru allan o Gastell Nanhyfer. Yn ôl pob tebyg dychwelodd William i ofalu am ei ystadau mawrion yn Nyfnaint, Dorset a Gwlad yr Haf. Ond gwyddom iddo ddychwelyd i Gemais tua 1198 i adeiladu castell yn Nhrefdraeth gyda sêl a bendith y Goron. Ef, bellach, oedd Arglwydd Barwniaeth Cemais.

Nid oes ar ôl yma yn Nanhyfer ond tarenni a ffosydd a dau fwnt, a chlystyrau o goed mân hwnt ac yma yn debyg i rengoedd o filwyr yn disgwyl eu cyfle i ymosod ar y safle adfeiliedig. Ffown ar unwaith o awyrgylch yr hen gaer filitaraidd. Dilynwn y ffordd yn ôl i Temple Bar, troi ar y dde ar y groesffordd, dilyn yr A487 am ryw filltir gota, a throi ar y dde eto wedi cyrraedd mynedfa Plas Llwyn-gwair.

Llwyn-gwair

Nid oes o gwmpas y lle ond stad eang o garafanau a phlasty hyfryd yn sefyll yn urddasol ynghanol y coed (O.S. 072396). Y teulu Cole oedd y perchenogion cyntaf y gwyddom amdanynt. Ond fe'i prynwyd gan ddeulu Boweniaid Pentre Ifan tua 1503. Y teulu hwn a fu'n byw yno yn llinach ddi-dor am gyfnod yn ymestyn dros bedair canrif. Er mai eglwyswyr oedd y Boweniaid (perchenogion stad anferth o 3000 o aceri a noddwyr y beirdd crwydrol) fe'u cofir yn bennaf, efallai, am eu

croeso a'u lletygarwch i efengylwyr y Diwygiad
Methodistaidd yn y ddeunawfed ganrif. Bu John Wesley
yn aros yn Llwyn-gwair o leiaf chwech o weithiau ar ei
deithiau cenhadol yng Nghymru. Y mae'n werth nodi
hefyd fod Llwyn-gwair yn nydd ei anterth yn cynnwys
60 o welyau ar gyfer ymwelwyr a chynifer â 120 o
westeion yn eistedd wrth y byrddau toreithiog. Dywed
traddodiad mai ar aelwyd Boweniaid Llwyn-gwair y
cyfansoddodd William Williams, Pantycelyn, yr emyn
sy'n dechrau â'r llinell: 'Dros y bryniau tywyll niwlog'.
Ar sail y traddodiad hwn y cyfansoddodd D. J.
Williams, Abergwaun, y stori fer sy'n dwyn yr un teitl.
Fe'i cyhoeddwyd yn *Storïau'r Tir Glas* (1936). Stori yw
hi am Williams Pantycelyn yn cyrraedd ei lety ym
Mhlas Llwyn-gwair ar ôl iddo fod yn ceisio cymodi dau

Plasty Llwyn-gwair.

deulu cwerylgar mewn seiat yn Eglwyswrw. Mae rhai o'r cyhuddiadau a wnaed yn ei erbyn ef gan rai o bobl y seiat yn gwasgu'n drwm ar ei feddwl. Wedi cysgu'r nos y mae'n cyfansoddi emyn i fynegi ei brofiad ac yn ei adrodd wrth y bwrdd brecwast fore drannoeth yng nghartre'r Boweniaid. Y mae'r emyn (a'r angerdd a deimlasai Williams ei hun) yn cael effaith ysgytwol ar y teulu ac yn arwain at dröedigaeth Twm yr Hosler a oedd yn feddwyn rhonc. Dyma'r pennill cyntaf:

> Dros y bryniau tywyll niwlog,
>   Yn dawel, f'enaid, edrych draw,
> Ar addewidion sydd i esgor
>   Ar ryw ddyddiau braf gerllaw:
> Nefol Jiwbil
>   Gad i'm weld y bore wawr.

Y mae Llwyn-gwair bellach wedi ei droi yn westy moethus, aml ei letywyr fel cynt, ac yn lle poblogaidd i gynnal partïon a gwledd briodas. Ychydig sy'n aros o awyrgylch oes aur y Boweniaid ar wahân i'r lle tân yn y lolfa sydd wedi ei gadw ar ddelw simnai fawr. Y bar yw'r brif atynfa erbyn hyn. Nid oes dim o'i le ar hynny ychwaith, ond wedi bod mewn cyfeddach yn Llwyn-gwair beth amser yn ôl ni allwn beidio â meddwl beth fyddai adwaith Williams Pantycelyn pe bai'n dychwelyd am dro i'r hen blasty heddiw. Yn ddiarwybod, rywsut, fe lifodd cân Gristnogol yn ymwneud â Llwyn-gwair yr oes hon ar lifeiriant yr awen. Dyma'r pennill olaf:

> O! tyrd, y Pêr Ganiedydd,
>   Yn ôl i Blas Llwyn-gwair
> I gyfareddu'r meddwon
>   Â gweddi Baban Mair;

Rho fin dy dafod blaengar
  Drwy gloriau dur eu clyw
I ddweud fod hil y dafarn
  Yn rhan o deulu Duw.

Dychwelwn o blasty mawreddog Llwyn-gwair i'r ffordd fawr a throi ar y dde. Awn ymlaen yn syth i fwrdeistref Trefdraeth. Wedi croesi'r groesffordd ynghanol y dref trown ar y dde ar y gyfford gyntaf a dilyn y ffordd gul i'r Parrog ar lan y môr. Y mae yma faes parcio eang.

Trefdraeth

Fe dâl inni aros ychydig ar y Parrog. Y Traeth Bach oedd yr hen enw ar y lle. Yma y mae afon Nyfer yn llifo i'r môr. Y tu draw i'r afon y mae'r Traeth Mawr, aceri o swnd glân o liw aur coeth. Dyma draethau poblogaidd iawn i fwrw diwrnod ar lan y môr, a chyrchfan blynyddol pob 'trip Ysgol Sul' yng ngogledd Sir Benfro ers talwm. Rwy'n cofio'r adeg pan oedd Jac Preis yn chwys drabŵ wrth rwyfo pobl yn ei gwch yn ôl a blaen o un traeth i'r llall. Ond erbyn heddiw y mae'n hwylusach i deithio mewn cerbyd ar hyd y ffordd dar. Wrth sefyll ar y Parrog yr ydym yn edrych ar dre Trefdraeth yn ei chyfanrwydd (O.S. 044399). Y mae'r castell yn siŵr o dynnu sylw pawb sydd a chanddo 'lygaid i weled'.

Ar ôl i William FitzMartin gael ei yrru allan o Gastell Nanhyfer a threulio ysbaid yng Ngwlad yr Haf dychwelodd i Drefdraeth i adeiladu castell yn y fan y saif heddiw. Yr oedd barwniaeth Cemais yn ei feddiant eto drwy etifeddiaeth ei dad. Ond daeth tro'r Cymry hefyd i feddiannu castell Trefdraeth. Fe'i cipiwyd gan

Castell Trefdraeth.

Llywelyn Fawr tua 1216 a'i adfer i deulu Martin yn ddiweddarach drwy ymyrraeth Harri III. Fe'i cipiwyd drachefn gan Llywelyn yr Olaf yn 1257, ond collodd yntau ei afael arno yn fuan wedyn ac aeth y castell yn ôl drachefn i ddwylo'r Eingl-Normaniaid. Erbyn hyn yr oedd barwniaid Cemais yn byw'n fras ar eu hystadau mawrion yn ne Lloegr a Chastell Trefdraeth yng ngofal Cwnstabliaid. Ond ymosodwyd arno eto gan y Cymry adeg Gwrthryfel Owain Glyndŵr yn 1405, a dirywio'n gyflym fu hanes yr hen gastell Normanaidd wedi hynny.

Bu farw'r olaf o deulu Martin (neu foddi a bod yn fanwl gywir) yng Nghastell Barnstaple yn 1326 ac fe etifeddwyd Castell Trefdraeth ynghyd â barwniaeth Cemais drwy briodas gan deulu Audley. Daeth y llinach honno i ben hefyd yn 1534 pan gafodd James Audley ei ddienyddio am deyrnfradwraeth. Prynwyd y farwniaeth a'r castell gan William Owen, Henllys, tua 1543, ond erbyn diwedd yr unfed ganrif ar bymtheg nid oedd Castell Trefdraeth bellach yn ddim ond ysgerbwd o waliau cerrig ac adfeilion. Fodd bynnag, yn ystod y ganrif ddilynol aeth barwniaeth Cemais yn eiddo i deulu Lloyd y Bronwydd drwy briodas eto, ac yn 1859 fe adferwyd rhan o'r castell yn dŷ preswyl gan y teulu hwnnw. Disgynyddion y teulu Lloyd sy'n dal eu gafael ar y farwniaeth heddiw. Diddorol, a dweud y lleiaf, yw Rhagymadrodd Dillwyn Miles i'w gyfrol *The Lords of Cemais* (1997), sy'n bwrw golwg ar sefyllfa a statws Arglwydd ac Arglwyddes Cemais yn nhraean cyntaf yr ugeinfed ganrif:

A lifespan ago, when the flag flew over Newport Castle, there was great excitement in the town of Newport, Pembrokeshire, for it was the sign that Sir Marteine and Lady Lloyd were in residence, and we all looked forward to seeing them in the town. Sir Marteine's six-and-a-half foot match-stick figure would appear at some public function, such as the opening of the Memorial Hall, and Lady Lloyd would sometimes be chauffeur-driven a few hundred yards from the castle down to Market Street where her presence attracted immediate attention, as her chalk-white powdered face and her hair, a mass of ivory ringlets, let alone her regal bearing, made her look just like Queen Mary. After Sir Marteine died, in 1933, she occasionally invited me to take tea with her at the castle, but more especially to listen to her tales of a golden age the resplendence of which was already beginning to pale. She would offer me one of her Balkan Sobranie cigarettes, that were a different colour each day, to match her finger nails, and each cigarette bearing her entwined initials in gold.

Hawyr Bach! Y mae'n deg dweud i dref Trefdraeth dyfu'n naturiol rhwng y castell a'r môr. Tref garsiwn oedd Trefdraeth ar y cychwyn yr un fath â llawer o drefi eraill Sir Benfro. Rhoddwyd iddi'r enw *Novus burgus,* neu 'Newport' yn Saesneg. Mae'n dref hynafol ei chymeriad erbyn hyn. Onid yw'r gair Cymraeg 'Trefdraeth' yn fwy pwrpasol o lawer ac yn dal yn gyfoes-ystyrlon drwy bob newid? Rhoddwyd Siartr i Drefdraeth gan Nicholas Martin tua 1240 yn rhoi hawl i'r dinasyddion ddewis maer y dref mewn ymgynghoriad ag Arglwydd y farwniaeth. Ond diweddariad oedd hon o siartr flaenorol a gyflwynwyd gan dad Nicholas Martin rywbryd cyn 1215. Arglwyddes bresennol y farwniaeth yw Hyacinthe Hawkesworth sy'n byw gyda'i gŵr yn Rutland. Y mae'r castell (sydd wedi ei atgyweirio'n sylweddol erbyn hyn) yn cael ei osod ar denantiaeth, ac Arglwyddes y farwniaeth yn bwrw ambell ysbaid o wyliau mewn bwthyn yn y dref! Ond erys Trefdraeth yn fwrdeistref unigryw yn hanes ein gwlad. Nid oes yr un Arglwydd neu Arglwyddes y farwniaeth wedi goroesi yn unlle arall ym Mhrydain Fawr. Ond mae Arglwyddes Cemais, nid yn unig yn bod o hyd, ond hefyd yn dal ar yr hawl i ethol maer y dref yn flynyddol mewn ymgynghoriad â'r Cwrt Lît. Rhyfedd o draddodiad a rhyfedd o fyd!

Y dref a'r cyffiniau

Dyrchafwn ein llygaid o'r Parrog ac edrych ar y wlad ysgithrog uwchlaw'r castell. Yr ydym yn bwrw golwg ar gyffiniau'r bwthyn a elwir yn Cot-llwyd. Bu'n dŷ gwyliau ar un adeg i'r nofelydd Saesneg Richard

Y Parrog yn Nhrefdraeth.

Llewellyn, a rhwng muriau'r adeilad hwn yr ysgrifennodd yntau y rhan fwyaf o'i nofel adnabyddus, *How Green was my Valley*. Bu'r arlunydd byd-enwog Friedrich Könekamp yn cartrefu yno yn ddiweddarach. Ffoadur o'r Almaen ydoedd yn wreiddiol yn chwilio am ddihangfa rhag gormes y Natsïaid adeg yr Ail Ryfel Byd a threuliodd ef a'i briod Rosamund bum mlynedd ar hugain o'u hoes yn Nhrefdraeth. Cymeriad garw ei olwg a garw ei ymddygiad oedd Könekamp; ond yr oedd y cynfas arlunio yn troi'n hud a lledrith o dan ei ddwylo. Llwyddodd i gyfuno dylanwadau artistiaid yr Almaen yn y tridegau, gyda'u pwyslais ar liwiau llachar a thechnegau cyfoes, â gerwinder y tirlun o gwmpas ei gynefin ar lethrau Carn Ingli. Gwobrwywyd ef â medal aur dinasoedd Efrog Newydd a Rhufain, a dangoswyd ei beintiadau mewn orielau o bwys yn Ewrop ac U.D.A.

129

Cyfarfu Gwenallt y bardd â Könekamp unwaith ar draeth Pwllgwaelod heb fod nepell o'i gartref a chyfansoddodd gerdd o deyrnged i'w allu fel arlunydd. Dyma un pennill ohoni:

> Ni phlygodd i dynnu portreadau marw y mawrion,
> Na derbyn shibolethau athrawon academi,
> Ond byw yn ei gaban sinc i ddal yn ei luniau
> Wyrthiau aflonydd yr haul ar dir a lli.

Ymdeimlwn ag ias yr hen amseroedd yn Nhrefdraeth hefyd. Gelwir y gromlech sydd wedi ei hamgylchynu â ffens yn y dref yn Goetan Arthur, ac y mae'n dal i fod yn un o brif atynfeydd twristiaid yr haf. Daeth addysg y bobl yma yn gynnar hefyd. Gosodwyd plac ar fur tŷ yn *College Square* yn tystio fod yr adeilad hwn unwaith yn un o'r ysgolion cylchynol a gychwynnwyd gan Griffith Jones, Llanddowror, yn 1734. Y prif fwriad oedd mynd ati i ddysgu'r bobl anllythrennog i ddarllen y Beibl. Mae'n wir i ddweud hefyd mai drwy nawdd ac egni Madam Bevan, Talacharn, yn bennaf, y bu i'r ysgolion cylchynol ddatblygu ac ennill tir. Ni wyddys yn union paham y dewiswyd Trefdraeth yn fangre i godi ysgol yno yn 1819. Daliodd ei thir yn ddi-dor hefyd tan i ysgolion y wladwriaeth gael eu sefydlu o ganlyniad i Ddeddf Addysg 1870. Er i genedlaethau lawer o blant gael eu haddysg yn ysgol y dref yr oedd codi'r adeilad newydd sbon sy'n dwyn yr enw Ysgol Bro Ingli yn 1992 unwaith eto yn rhoi balchder ac urddas i'r fwrdeistref hynafol.

Masnach a Diwydiant

Wrth oedi ar y Parrog ni ellir llai na sylweddoli i fyd masnach fod yn ffynnu yma unwaith. Hwyrach fod porthladd Trefdraeth yn bwysicach na harbwr Abergwaun yn ystod yr unfed ganrif ar bymtheg. Bu'n enwog am allforio llechi i Fryste a rhannau o Iwerddon. Yr oedd y llongau yn cario llwythi o sgadan hefyd o borthladd Trefdraeth i lannau Môr y Canoldir. Erbyn diwedd y ddeunawfed ganrif yr oedd iard longau nodedig yn Nhrefdraeth. Adeiladwyd y cei yn 1825 pan oedd tua chant o sgwneri a badau yn croesi'r bar yn gyson wrth fynd a dod o'r harbwr. Ymhlith y nwyddau a fewnforiwyd o borthladdoedd eraill yr oedd glo, cwlwm, halen, cerrig calch, briciau, barlys a gwahanol fathau o achlesi i'w defnyddio ar y tir. Nid oes dim yn aros i'n hatgoffa bellach am y prysurdeb gynt ond yr odyn galch ar fin y traeth. Y mae'r pedwar tafarndy a fu'n disychedu'r morwyr ar y Parrog yn oes aur y fasnach wedi diflannu hefyd.

Cnapan

Ni ellir gadael Trefdraeth ychwaith heb gofio am y gêm a elwid yn cnapan. Gêm galed a chreulon oedd hon a chwaraeid rhwng trigolion gwahanol blwyfi yn ne-orllewin Cymru hyd ddiwedd y bedwaredd ganrif ar bymtheg. Y dasg a osodid i'r chwaraewyr oedd cael pêl fechan i'r gôl ym mhlwyf y gwrthwynebwyr. Yn aml iawn porth yr eglwys oedd y gôl! Gallai'r chwaraewyr fod yn wŷr traed, yn farchogion ar gefn eu ceffylau, neu yn gymysgfa o'r ddau. Nid oedd rheolau yn perthyn i'r gêm o gwbl. Ond yn aml iawn yr oedd tua 500 neu 600 o bobl mewn un tîm. Yr oedd y dasg (neu yn hytrach yr ymrafael) o fynd â'r bêl i'r gôl yn medru bod yn ymosodol o ran nerth braich a chryfder corfforol, ac yn aml iawn yn achos llawer o dywallt gwaed. Yn rhyfedd iawn, yr oedd George Owen, Henllys, er gwaethaf ei wendid corfforol, yn cael hwyl ar chwarae cnapan a cheir disgrifiad manwl ganddo o 'gythrwfl' y gêm yn ei lyfr *The Description of Penbrokeshire*. Cynhelid y gêm (fel man cychwyn) ar y Traeth Mawr yn Nhrefdraeth bob blwyddyn ar Ddydd Mawrth Ynyd rhwng plwyfolion Trefdraeth a phlwyfolion Nanhyfer. Cynhelid gornest gyffelyb rhwng plwyfolion Eglwyswrw a phlwyfolion Meline ym Mhontgynon ddydd Llun y Pasg, a gornest arall ym Mhwll Du, Penbedw, ar y dydd Llun dilynol. Ond uchafbwynt yr ornest hon oedd y gêm rhwng pobl Cantref Cemais a

Bwrdeistref Trefdraeth a Charn Ingli yn y cefndir.

phobl Cantref Emlyn a gynhelid ar Ddydd Iau Dyrchafael, gydag o leiaf 2000 o chwaraewyr yn cymryd rhan yn y sgarmes.

Atgyfodwyd y cnapan yn Nhrefdraeth tua 1988 gan barhau'r hen draddodiad o gynnal gornest rhwng pobl Trefdraeth a phobl Nanhyfer fel yn y dyddiau gynt. Fe'i cynhelir bellach tua diwedd Mai neu ddechrau Mehefin. Ond mae'n ymddangos nad oes yr un dycnwch a chreulondeb yn perthyn iddi heddiw ac fe ddiflannodd yr arfer o ymladd yn gorfforol hyd at dywallt gwaed!

Gwŷr Llên

Wrth oedi yn Nhrefdraeth y mae'n rhaid inni feddwl am rai o wŷr llên y cyffiniau hefyd. Yn y Cilgwyn, ryw filltir a hanner o Drefdraeth ar y ffordd i Gwm-gwaun, y mae cartre'r llenor amryddawn Brian John. Ganed ef yng Nghaerfyrddin yn 1940 a bwrw'i blentyndod yn nhre Hwlffordd. Cafodd yrfa academig ddisglair. Bu'n fyfyriwr yng Ngholeg yr Iesu, Rhydychen, a dyfarnwyd iddo ei ddoethuriaeth am ei astudiaeth o Oes yr Iâ yn Sir Benfro. Bu'n gweithio yn Antarctica ac yn darlithio ym Mhrifysgol Durham cyn dychwelyd i Sir Benfro yn 1977 i ymgymryd â'r dasg o fod yn llenor llawn amser. Cymro di-Gymraeg ydyw. Erbyn hyn y mae wedi cyhoeddi dros 20 o gyfrolau, ac y mae ei gyhoeddiadau bron i gyd yn ymwneud â hanes a thraddodiadau Sir Benfro. Llên gwerin y sir, efallai, yw ei ddiddordeb pennaf, ac fe ymddangosodd eisoes bedair cyfrol swmpus o'i eiddo yn cynnwys casgliad sylweddol o'r coelion a'r chwedloniaeth a gysylltir â'r de a'r gogledd fel ei gilydd. Diddorol hefyd yw ei dair cyfrol (neu gasgliadau eto a bod yn fanwl gywir) o hiwmor a doniolwch trigolion yr hen Ddyfed. Ond ei brif waith yn ddiamau yw'r gyfrol *Pembrokeshire Past and Present* sy'n bwrw golwg ar hanes Sir Benfro o'r cyfnodau cynharaf hyd yr oes ddiweddar. Rhaid edmygu ei wybodaeth a'i drylwyredd mewn rhai meysydd. Ond ni ellir ond gresynu weithiau na fyddai yn fwy hyddysg yn hanes iaith a diwylliant Cymraeg ei sir fabwysiedig.

Cymydog agos iddo oedd John Seymour a fu'n byw ac yn ffermio am rai blynyddoedd ar ffarm Fachongle Isaf. 'Dyn dwâd' oedd John Seymour ac yr oedd yntau hefyd yn awdur nifer o lyfrau ar bynciau gwahanol. Er iddo ysgrifennu nofelau a llyfrau taith, ei lyfrau ar *self-sufficiency* a roes iddo amlygrwydd byd-eang. Yr oedd ganddo'r ddamcaniaeth y gallai'r ffarmwr fyw yn gwbl hunangynhaliol ar ychydig iawn o dir. Yn wir, bu ganddo nifer o fechgyn a merched o dan hyfforddiant yn gweithio yn Fachongle Isaf o bryd i'w gilydd yn dysgu'r grefft o fyw ar y tir. Yr oedd ei syniadau yn chwyldroadol a dweud y lleiaf. Dyma un ohonynt:

Nid oedd ar yr amaethwr angen yr un aradr nac offer i drin y tir ar gyfer hau'r cynhaeaf. Argymhelliad John Seymour oedd cadw hwch, peidio â rhoi modrwy yn ei thrwyn, a'i gadael yn rhydd i wneud fel y mynnai mewn cae bychan wedi ei amgylchynu â ffens. Cyn pen fawr o dro fe fyddai'r hwch wedi turio'r maes yn 'dir coch' o bridd a mwd. Felly, nid oedd angen i'r ffarmwr ddefnyddio aradr nac oged gan fod yr hwch yn gwneud y gwaith i gyd ei hunan! Nid oedd angen iddo brynu achles ychwaith gan fod tail yr hwch gaethiwus dros gyfnod o amser wedi gwerydo'r tir yn barod ar gyfer yr had. Nid oedd dim gan y ffarmwr ffortunus i'w wneud ond gwasgaru'r had yn y ddaear a disgwyl iddo dyfu'n gnwd toreithiog yn yr hydref! Wrth gwrs, yr oedd y ffarmwr yn medru defnyddio'r hwch hefyd ar gyfer ei 'beichiogi' i fagu perchyll.

Gwerthwyd llyfrau John Seymour ar *self-sufficiency* wrth y miloedd ym Mhrydain ac U.D.A. Mae'n wir fod y cynnwys yn ddiddorol iawn. Ond mae lle i gredu hefyd fod rhai o syniadau a damcaniaethau'r awdur heb fod yn gwbl ymarferol. Eto i gyd, y mae'n rhaid edmygu ei lafur a'i frwdfrydedd diflino. Cyhoeddodd 14 o lyfrau sylweddol ar y pwnc rhwng 1974 ac 1983 yn unig.

Ond y llenor mwyaf toreithiog a gysylltir â'r ardal hon yw Dillwyn Miles. Ganed ef yn Nhrefdraeth yn 1916 a'i addysgu yn Ysgol Sir Abergwaun a Choleg Prifysgol Cymru, Aberystwyth. Bu'n gwasanaethu fel

Dillwyn Miles yng ngwisg yr Arwyddfardd.

135

swyddog gyda'r fyddin yn y Dwyrain Canol yn ystod yr Ail Ryfel Byd ac fe aeth ati i sefydlu Cymdeithas Gymraeg yn Jeriwsalem. Wedi dychwelyd o'r rhyfel treuliodd ei oes bron â bod yn gyfan gwbl yn Sir Benfro. Bu'n dal nifer o swyddi dinesig yn ei sir enedigol o bryd i'w gilydd. Dyrchafwyd ef yn faer a siryf Hwlffordd (lle mae wedi cartrefu ers blynyddoedd lawer), ac fe'i hetholwyd bedair gwaith yn faer bwrdeistref Trefdraeth. Hanes lleol yw ei briod faes a dewisodd ysgrifennu ei lyfrau hanes i gyd yn Saesneg. Y mae'n werth dyfynnu rhestr gyflawn o'r cyfrolau hynny a gyhoeddwyd ganddo hyd yn hyn:

> The Pembrokeshire Coast National Park (1973);
> The Sheriffs of the County of Pembroke (1975);
> The Royal National Eisteddfod of Wales (1978);
> Castles of Pembrokeshire (1979);
> A Pembrokeshire Anthology (1982);
> Portrait of Pembrokeshire (1984);
> The West Wales Naturalists Trust and its Reserves (1987);
> The Pembrokeshire Coast National Park (1987);
> The Secrets of the Bards of the Isle of Britain (1992);
> The Description of Pembrokeshire: George Owen of Henllys (edited with introduction and notes 1994);
> The Ancient Borough of Newport in Pembrokeshire (1995);
> A Book on Nevern (1998);
> A History of Haverfordwest (1999).

Urddwyd ef yn aelod o Orsedd y Beirdd yn Eisteddfod Genedlaethol Abergwaun, 1936, a bu'n aelod o Fwrdd yr Orsedd am hanner canrif gyfan. Diau fod rhai'n cofio amdano yn Geidwad y Cledd yng Ngorsedd y Beirdd. Ef a olynodd Trefin yn 1960 a bu'n dal y swydd honno hyd 1966. Fe'i penodwyd wedyn yn Arwyddfardd yr Orsedd, swydd a gyflawnodd gydag urddas a thrylwyredd am ddeng mlynedd ar hugain. Y mae Dillwyn Miles yn Freniniaethwr pybyr; a cheir sawl hanesyn doniol ganddo yn ei lyfr *Atgofion Hen Arwyddfardd* (1997). Y mae rhai ohonom yn cofio'r amser pan benderfynodd yr Orsedd fod yr Arwyddfardd (fel y gwnaed ar un adeg) yn arwain yr orymdaith ar gefn ceffyl ar adeg y Cyhoeddi ac yn ystod y seremonïau yn yr awyr agored ar fore dydd Mawrth a bore dydd Iau'r Brifwyl. Yr oedd y 'marchog' i gychwyn ar ei swydd yn Eisteddfod y Fflint yn 1969. Yr oeddwn yn digwydd bod yn aelod o dîm Sir Benfro yn yr Ymryson y Beirdd a gynhaliwyd ym Mhabell Lên Eisteddfod y Barri, 1968, pan ddaeth y newydd syfrdanol y byddai gorseddogion y flwyddyn nesaf yn canlyn y gŵr tal ar ei farch llamsachus 'yn wyneb haul a llygad goleuni' i gyfeiriad y Maen Llog. 'Ceffyl yr Orsedd' oedd y testun a osodwyd gan y beirniad ar gyfer yr englyn cywaith a dyma ymgais tîm Sir Benfro, gan edrych ymlaen, wrth gwrs, at Eisteddfod Genedlaethol y ddwy flynedd oedd i ddod:

> Y gŵr ar ei nag arian, – hoff o'i le
> Yn y Fflint yn trotian.
> O roi i'r brîd wair a bran
> Myn roi dom yn Rhydaman.

Wel, credwch neu beidio, daeth y broffwydoliaeth yn wir! Mynnu 'rhoi dom' a wnaeth y ceffyl yn ystod yr orymdaith yn Rhydaman, a bu'n rhaid i'r derwyddon 'oll yn eu gynau gwynion' gerdded drwyddo ar y ffordd fawr! Ni fu sôn am geffyl yr Orsedd byth wedyn. Dywed Dillwyn Miles yn gellweirus yn ei 'Atgofion', mai dyma'r rheswm, mae'n siŵr, paham y derbyniodd lythyr rywbryd wedyn yn cyfeirio ato fel yr Arwyddfarch. Y mae'n ŵr bonheddig wrth natur, ond pan fo angen mae'n medru llefaru heb flewyn ar ei dafod. Y mae ei gyfraniad i fyd hanes Sir Benfro hefyd yn amhrisiadwy.

Erbyn heddiw tai haf yw'r mwyafrif o'r bythynnod amryliw sy'n sefyll yn un rhes ar rodfa'r Parrog i wylio'r ewyn yn chwarae ar y traeth. Y mae Clwb Cychod Trefdraeth, a'r Clwb Golff ar y ffordd i'r Traeth Mawr yn adeiladau (a sefydliadau) sy'n hawlio sylw pob ymwelydd. Ond nid yw'r dref ei hun wedi newid fawr o'i chymeriad gyda threigl y blynyddoedd. Darn o'r oes o'r blaen yw bwrdeistref Trefdraeth ar lawer ystyr. Dyma ymateb W. R. Evans i'r lle yn ei gerdd dafodiaith 'Tidrath' a ysgrifennwyd ganddo beth amser yn ôl:

> Seno pethe in newid in Tidrath,
> Ddim felny, neu shwt alla i weud?
> Mae e fel 'se fe'n hanner cisgu,
> Rhyw benloian in ochor y teid.
> Trw drugaredd, so masnach in awffus
> I whalu cimeriad y lle.
> Ma tipyn o naws ir hen amser
> In hongian o hyd biti'r dre.

Gadawn y Parrog yn Nhrefdraeth i'r twristiaid dirifedi, mynd yn ôl i'r dref gan droi ar y gyffordd i gyfeiriad Abergwaun, a throi ar y chwith ar y gyffordd nesaf sy'n ein tywys i fyny'r rhiw serth hyd ymylon mynydd Carn Ingli i gyfeiriad Cwm Gwaun. Arhoswn yn y gilfach barcio eang ar ddarn o dir gwastad ar ben ucha'r rhiw mewn llecyn a elwir yn Bedd Morris.

Bedd Morris

Yr ydym yn oedi ar dir uchel a gwaith hawdd i'r sawl sy'n mynnu cadw'n heini fyddai cerdded am ryw ddwy filltir dros dir gwastad a grugog at y creigiau anferth ar gopa Carn Ingli (O.S. 038365). Y mae yma faen hir ar fin y ffordd sy'n nodi'r ffin rhwng plwyf Trefdraeth a phlwyf Llanychllwydog. Y mae'n arfer blynyddol gan rai o drefolion Trefdraeth yn ystod mis Awst i fynd ar gefn eu ceffylau o dan arweiniad maer y dref i gynnal hen ddefod a elwir yn 'beating of the bounds'. Wedi iddynt gyrraedd Bedd Morris y mae'r arferiad yn dal i roi cweir 'beating' (ysgafn iawn, mae'n wir) i'r bechgyn ifainc er mwyn iddynt gofio am weddill eu hoes ymhle yn union y mae terfynau'r plwyf!

Ond pwy oedd 'Morris' y dywedir i'w fedd gael ei leoli yma mewn llecyn anghysbell ar ddarn ysgithrog o ucheldir Cemais? Y mae o leiaf ddau draddodiad yn ceisio olrhain tarddiad yr 'hanes'.

Dywed un stori mai hen leidr pen-ffordd cyfrwys oedd Morris yn byw mewn ogof ar lethrau Carn Ingli. Yr oedd ganddo gi gwyn yn gydymaith iddo. Yn ôl yr hanes yr oedd ymddangosiad sydyn y lleidr yn y llecyn anghysbell hwn yn gorfodi'r teithwyr unig i ildio popeth o werth oedd yn eu meddiant i'w orchymyn bygythiol. Yn wir, yr oedd ofn ar lawer o drigolion yr ardal i dramwyo ffordd y mynydd ar eu pennau eu hunain boed hi'n olau dydd neu'n fagddu'r nos. Yn y diwedd, penderfynodd nifer o bobl yr ardal fynd gyda'i gilydd yn un criw dialgar i ymosod ar yr ogof a ystyrid yn gartre parhaol i Morris y lleidr. Fe'i daliwyd yn ddirybudd. Torrwyd gwddf y ci gwyn â chyllell finiog, a chafodd Morris ei hun ei hongian ar grocbren a godwyd

Bedd Morris.

ar fin y ffordd i roi terfyn ar ei yrfa ddaearol. Tra oedd ei gorff llipa yn pendilio wrth y cortyn main am ei wddf yn awel y mynydd fe benderfynodd ei ddienyddwyr godi carreg goffa yn y fan a'r lle. Nid carreg o 'barchus goffadwriaeth' i Morris oedd hi, ond carreg i atgoffa'r cenedlaethau a ddêl nad oedd gweithredu fel lleidr pen-ffordd yn talu i neb!

Ond clywais stori gwbl wahanol gan fy nhad, stori a glywsai ef gan hen fodryb iddo a oedd yn byw yn Nhrefdraeth ers talwm. Dyma hi. Dyn a oedd yn lladrata defaid oedd Morris. Wedi iddo ddal y ddafad gefn nos yn unigedd y mynydd ei ddull ef o'i dwyn adref oedd clymu ei dwy goes flaen â chortyn main, ei thaflu ar ei gefn, a'r cortyn yn ei dal yn dynn o dan ei geseiliau. Ond un tro yr oedd y ddafad yn drwm iawn, ac wrth iddi geisio sbarwigan i ddod yn rhydd fe lithrodd y cortyn allan o dan geseiliau Morris, gan dynhau am ei wddf, a'i grogi'n farw yn y fan a'r lle.

Ond y stori boblogaidd arall ynglŷn â Bedd Morris oedd stori am garwriaeth anffortunus. Yr oedd bachgen ifanc o'r enw Morris a oedd yn byw yn Nhrefdraeth wedi syrthio dros ei ben a'i glustiau mewn cariad â merch bryd golau o Gwm-gwaun. Ond yr un fath â'r hanes am y ferch o Gefn Ydfa gynt yr oedd tad y ferch yn gwrthod rhoi ei ganiatâd iddi i'w briodi ac yn mynnu fod cannwyll ei lygad yn chwilio am rywun oedd yn 'uwch ei stad' i fod yn gymely iddi. Yn wir, fe drefnodd y tad iddi briodi bachgen arall er gwaethaf gwrthwynebiad y ferch. Felly, fe benderfynodd y ddau gariadfab, yn gwbl gyfrinachol, i ddatrys y broblem eu hunain. Fe roes Morris her i'w wrthwynebydd i gymryd rhan mewn ymrysonfa (gorfforol neu arfog) i brofi pa un ohonynt oedd y trechaf. Cyfarfu'r ddau ar begwn uchaf ffordd y mynydd i fynd i'r afael â'u tynged. Y bachgen cyfoethog a orfu. Lladdwyd Morris yn yr ymryson a chladdwyd ef yn y fan lle saif y garreg heddiw. Bu'r ferch farw hefyd yn fuan wedyn o dorcalon.

Ond nid llecyn i ddwyn atgofion trist i neb yw Bedd Morris. Wrth oedi yn y gwynt main o boptu i lethrau'r grug ac edrych tua'r gorllewin y mae ehangder y môr yn lledu oddi tanom o drwyn Penymorfa yn y gogledd y tu hwnt i Ynys y Dinas yn nhueddau'r de. Ac weithiau, ar adegau clir, y mae bryniau Wiclow yn Iwerddon yn sefyll fel ynysoedd llwyd ar rimyn y gorwel pell. Dylid nodi hefyd mai T. D. LL. yw'r llythrennau sydd wedi eu cerfio ar garreg Bedd Morris. Dyma lythrennau blaen enw Thomas David Lloyd, Arglwydd barwniaeth Cemais o 1845 hyd 1877. Ond nid yr uchelwr o'r Bronwydd a gysylltir yn bennaf â maen hir Bedd Morris. Y mae chwedlau mwy diddorol yn perthyn i'r garreg hon.

Disgynnwn dros y ffordd yn ôl i gyfeiriad Trefdraeth a throi ar y chwith ar y gyffordd gyntaf ar yr A487. Wrth gyrraedd pentre'r Dinas trown ar y dde yn syth wedi inni fynd heibio Capel Gedeon a dilyn y ffordd gul am ryw filltir gota i draeth Cwmyreglwys.

Cwmyreglwys

Nid oes prinder cychod pleser na charafanau yn unman o gwmpas y lle (O.S. 016400). Ond talcen noeth yr eglwys yn ymyl y môr sy'n hawlio ein sylw yn bennaf. Ie, dim ond y talcen o gerrig sy'n aros yma bellach, a physgodyn y gwynt ar frig y clochdy yn dynodi cyfeiriad yr awel. Daw llinellau agoriadol Gwenallt yn ei gerdd 'Cwmyreglwys' i lenwi'r cof:

> Nid oes yng Nghwm yr Eglwys ond un mur
> O'r llan wrth hen falchder y lli;
> Gollyngodd rhyw Seithennin donnau'r môr
> Tros ei hallor a'i changell hi.

Storom fawr wyllt yn 1859 oedd y Seithennin a fu'n gyfrifol am chwalu'r eglwys. Dyma un o'r stormydd gwaethaf mewn hanes. Suddwyd dros gant o longau, gan gynnwys y *Royal Charter*, oddi ar arfordir gorllewin Cymru gan ruthr y corwynt ar yr 'Ofnadwy Nos' a roes T. Llew Jones yn deitl i un o'i nofelau. Ond y mae yma fynwent hefyd yn ymyl y talcen eglwys ar lan y môr. Diddorol, a dweud y lleiaf, yw'r englynion a'r penillion rhydd pedair llinell sy'n pylu ar y cerrig

Cwmyreglwys.

beddau. Hon yw'r 'fynwent yn ymyl y môr' y canodd Mynyddog iddi mewn cân hir o 14 o benillion yn ei gyfrol *Y Trydydd Cynnig* (1877). Y mae'n werth dyfynnu'r nodyn sydd ganddo ar ddechrau'r gân:

Tua hanner y ffordd rhwng Abergwaun a Threfdraeth, Penfro, y mae murddun hen Eglwys, a *darn* o gladdfa adfeiliog ar fin y traeth. Buwyd yn addoli am lawer o oesau yn yr hen Eglwys, a chladdwyd cenedlaethau ar ôl cenedlaethau yn y llannerch neilltuedig hon. Fodd bynnag, y mae y môr wedi golchi rhan helaeth o'r fynwent ymaith, ac y mae muriau yr hen Eglwys yn prysur roddi ffordd o flaen cynddaredd ei donnau. Nid yw yn beth anghyffredin gweled esgyrn y meirw a darnau eirch ar hyd y traeth, ac ar wyneb y tonnau.

A dyma'r ddau bennill cyntaf:

Yng ngwaelod y glyn, rhwng y creigiau,
    Bron allan o olwg pob dyn,
Mewn perffaith unigrwydd trwy'r oesau;
    Fel gwely marwolaeth ei hun;
Fan honno mae maes cysygredig,
    Sy'n wastad dan lygad yr Iôr -
Fan honno mewn congl fach unig
    Mae'r fynwent yn ymyl y môr.

Ni welir colofnau tra mawrwych
    Yn codi eu pennau i'r lan,
Na doniau athrylith ddisgleirwych
    Ar gerrig hen feddau y fan;
Ond pennau'r mynyddoedd a'r creigiau
    Gyfodwyd gan ddwylo yr Iôr,
A safant am byth yn golofnau
    I'r fynwent yn ymyl y môr.

144

Ar achlysur canmlwyddiant dinistrio'r eglwys hon y lluniodd Waldo Williams ei emyn adnabyddus i Gwmyreglwys. Un o'r eglwysi a gysegrwyd i Sant Brynach oedd hi, a dyma bennill olaf yr emyn sy'n gofyn i Dduw, drwy dosturi'r sant, ymateb i'n gweddïau yn y byd sydd ohoni:

> Rhoddaist Frynach inni'n fabsant,
>   Cododd groes uwchben y don,
> Storm o gariad ar Golgotha
>   Roes dangnefedd dan ei fron.
> Frynach Wyddel, edrych arnom,
>   Llifed ein gweddïau ynghyd,
> Fel y codo'r muriau cadarn
>   Uwch tymhestloedd moroedd byd.

Traeth bychan a fu'n harbwr i bysgotwyr y môr oedd Cwmyreglwys yn y dyddiau gynt. Gwaith hawdd yw cerdded yr hanner milltir ar draws tir gwastad heibio ymylon pentir Ynys y Dinas o Gwmyreglwys i draeth Pwllgwaelod. Y mae'r odyn galch yn tystio i hwn fod yn borthladd prysur ar un adeg hefyd. Ond arhoswn am y tro yng Nghwmyreglwys i sôn am bentre'r Dinas sydd, efallai, fel 'dinas wedi ei hadeiladu ar fryn' rhwng y ddau draeth bychan.

Adeiladwyd yr eglwys newydd (sy'n dwyn yr enw Sant Brynach hefyd) ar dir diogel! Bu offeiriad llengar o'r enw Glynfab Williams yn rheithor yma yn nhraean cyntaf y ganrif hon. Ganwyd ef yn Nantyglo, Sir Fynwy, a'i fagu yn y Pentre yn y Rhondda. Rhoddwyd gofalaeth y Dinas iddo yn 1906. Yn ddiweddarach fe'i gwnaed yn fwrdeisiwr tref Trefdraeth, a bu'n faer y dref honno hefyd dros y cyfnod 1931-33. Daeth Glynfab yn adnabyddus fel arweinydd cymanfaoedd canu, ac yn bennaf oll, efallai, fel arweinydd eisteddfodau'r cylch. Yr oedd yn fwrlwm o hiwmor a doniolwch hyd fêr ei esgyrn. Ond yr oedd Glynfab hefyd yn llenor toreithiog. Cyhoeddodd amryw o lyfrau yn cynnwys nofelau, ysgrifau a storïau doniol. Ysgrifennwyd y rhan fwyaf ohonynt yn nhafodiaith Cwm Rhondda. Dyma un hanesyn byr o'i eiddo sy'n dangos ei ddawn fel digrifwr llenyddol:

Yr oedd Dai yn byw mewn tŷ teras yn un o bentrefi'r Rhondda ac yn gweithio mewn pwll glo cyfagos. Yn anffodus iddo, yr oedd ganddo wraig ddiog iawn. Nid oedd hi'n trafferthu hyd yn oed i godi yn y bore i gynnu tân a gwneud brecwast i'w gŵr cyn iddo fynd i'w waith. Wedi cael llawn bol ar bethau dyma Dai yn dweud wrthi un noson:

'Cwyd o dy wely bore fory i gynnu tân a gwneud brecwast i fi, plîs.'

Ond dal i orwedd yn ei gwely yn ffugio hanner cysgu a wnaeth y wraig ddiog. Y noson wedyn dyma Dai yn dweud wrthi drachefn:

'Os na godi di i gynnu tân a gwneud brecwast i fi bore fory fe wna i'n siŵr dy fod ti yn codi.'

Ond yr un fath fu hanes y wraig ddiog y bore wedyn hefyd. 'Gad fi'n llonydd,' meddai hi, 'rydw i eisiau cysgu'n hwyr.' Ond dyma Dai yn mynd yn sydyn at ffenest y llofft, yn ei thynnu hi lawr hyd yr hanner ac yn gweiddi nerth ei ben:

'Tân! Tân! Tân!'

Dyma'r cymdogion i gyd yn rhuthro allan o'u cartrefi gan edrych yn wyllt o gwmpas y lle. Rhoddodd Dai ei ben allan drwy'r ffenest a gweiddi yn uwch fyth:

'Tân! Tân! Tân!'

Erbyn hyn roedd y bobl wedi tyrru yno o'r strydoedd cyfagos ac wedi ymgasglu yn un dyrfa gynhyrfus o flaen y tŷ. Heb weld arwydd o dân yn unman gwaeddodd rhai ohonynt mewn dryswch llwyr:

'Ymhle?' 'Ymhle?'

Atebodd Dai yn gwbl ddidaro o ffenest y lloft:

'Ymhobman ond tŷ ni.'

Dwy gyfrol bwysicaf Glynfab yw *Y Partin Dwpwl* a *Ni'n Doi*. Cyfres o straeon doniol yn nhafodiaith Cwm Rhondda wedi eu lleoli yng nghyfnod y Rhyfel Byd Cyntaf yw'r ddwy ohonynt. Er bod cysgod y Rhyfel yn drwm ar yr hanesion y mae'r sefyllfaoedd doniol a chellwair y cymeriadau (yn aml iawn o dan amgylchiadau anffodus) yn rhoi dimensiwn ac awyrgylch ysgafn i'r cwbl. Diau fod darllen cyfrolau o'r fath yn fodd i roi hwb i'r galon yn ystod dyddiau tywyll y Rhyfel.

Brodor o'r Dinas hefyd yw'r Athro D. J. Bowen, yr ysgolhaig a'r hanesydd llenyddol. Ganef ef yn 1925 a'i addysgu yn Ysgol Uwchradd Abergwaun a Choleg y Brifysgol, Aberystwyth. Wedi gweithio am dair blynedd yn Adran y Llawysgrifau yn y Llyfrgell Genedlaethol ymunodd ag Adran Gymraeg ei hen goleg fel darlithydd yn 1953, a'i ddyrchafu i gadair bersonol yn 1980. Gweithiau cywyddwyr yr Oesoedd Canol yw ei brif faes. Gŵr yr encilion yw D. J. Bowen yn bennaf. Ni welir ef yn taranu ar lwyfan eisteddfod nac yn dadlau ar sgrin y teledu. Ei fyfyrgell yw maes ei lafur; ac fe gyfoethogodd lenyddiaeth Gymraeg yn ddirfawr â'i erthyglau ysgolheigaidd yn *Llên Cymru* a nifer o gyhoeddiadau eraill yn gyson ar hyd y blynyddoedd. Gwelir ffrwyth ei ymchwil hefyd yn ei gyfrolau

D. J. Bowen.

Barddoniaeth yr Uchelwyr (1957), *Gruffudd Hiraethog a'i Oes* (1958), *Dafydd ap Gwilym a Dyfed* (1986), a *Gwaith Gruffudd Hiraethog* (1990).

Efallai nad yw pentre'r Dinas ei hun wedi cynhyrchu nifer o feirdd a llenorion. Ond dylid nodi mai ym mynwent Macpela (Capel Bedyddwyr Tabor) y claddwyd y Prifardd Edgar Thomas. Ganed ef ym Mhontyberem yn 1894. Priododd â Beti Llywelyn, merch ffarm Llys-y-coed ar gyrion pentre'r Dinas. Bu'n brifathro Ysgol Ramadeg Tyddewi ac yn ddiweddarach yn brifathro Ysgol Uwchradd Llangefni, Ynys Môn. Ef oedd bardd y Goron yn Eisteddfod Genedlaethol Caerdydd 1938 am ei bryddest 'Peniel', ac fe ymddangosodd nifer o'i gerddi mewn blodeugerddi safonol.

Bu'r Prifardd Rhydwen Williams yn weinidog Eglwys Tabor am gyfnod byr yn y chwedegau. Yr oedd ganddo lais fel utgorn arian a phersonoliaeth hynaws a deniadol. Ef oedd bardd y Goron yn Eisteddfod

148

Genedlaethol Aberpennar, 1946, ac yn Eisteddfod Genedlaethol Abertawe, 1964. Cyhoeddodd Rhydwen wyth o gyfrolau o farddoniaeth ynghyd ag un ar ddeg o nofelau. Yr oedd ei wreiddiau yn y Pentre, Cwm Rhondda, ac fe'i cyfrifir yn un o feirdd Cymraeg mwyaf y ganrif yn y mesurau rhyddion. Fe'i dilynwyd yn Nhabor gan y Parchedig John Talfryn Jones yr englynwr a'i briod, Einir, a oedd yn hanu o Sir Fôn. Symudasant i Rydaman yn 1977. Einir Jones oedd bardd y Goron yn Eisteddfod Genedlaethol Bro Delyn, 1991, am ei dilyniant o gerddi 'Pelydrau', ac y mae eisoes wedi cyhoeddi pedair cyfrol o farddoniaeth.

Gorffennwn y daith hon rhwng môr a mynydd ym mhentre'r Dinas. Cofiwn mai ystyr gwreiddiol y gair Dinas oedd 'caer' neu 'amddiffynfa'. Wrth gau'r mwdwl y mae un o gwpledi James Nicholas yn ein taro rywsut (er i'r bardd ei hun ei ddefnyddio mewn cyd-destun gwahanol) wrth feddwl am gyfoeth ein treftadaeth ddiwylliannol yn y parth hwn o Ddyfed:

> Dinas balchderau dynion,
> Pa gamp hil, pwy a gwymp hon?

Llyfryddiaeth Ddethol

Francis Jones, 'Family Tales from Dyfed', *Trafodion y Cymmrodorion*, 1953, tt. 61-78.

Iola Jones (gol.), *Hanes Urdd Gobaith Cymru*, Y Lolfa, 1995.

Dilys Parry, 'Byddigions Pentre Ifan', Hefin Wyn (gol.), *Clebran*, Mai 1995, tt. 32-35.

Castell Henllys: Caer o'r Oes Haearn, (tywys-lyfr), Parc Cenedlaethol Penfro.

Lloyd Laing, 'Iron Age Britain', *Celtic Britain*, Granada, 1981, tt. 28-137.

Gareth Alban Davies, 'Nanhyfer', *Trigain*, Cyhoeddiadau Barddas, 1986, t. 34.

Dillwyn Miles, 'Yn Nanhyfer, Penfro', Thomas Jones (gol.), *Awen Aberystwyth*, Gwasg Aberystwyth, 1939, t. 67.

S. Baring Gould and J. Fisher, 'St Brynach, Abbot, Confessor', *The Lives of the British Saints*, Vol. I., Charles Clark, London, 1907, tt. 321-28.

W. J. Rees, 'The Life of St. Brynach', *Lives of the Cambro-British Saints*, Llandovery, 1858, tt. 289-99.

Anthony Bailey, *In the Steps of Saint Brynach*, Preseli Heritage Publications, 1997.

Islwyn Thomas, 'Hen Gerrig', Eirwyn George (gol.), *Abergwaun a'r Fro*, Christopher Davies, 1986, tt. 17-23.

Malcolm Seaborne, *Celtic Crosses of Britain and Ireland*, Shire Publications, Ltd., 1994.

The Church of St. Brynach, Nevern (church guide), 1955.

V. E. Nash-Williams, *The Early Christian Monuments of Wales*, University of Wales Press, 1950.

Brian John, 'The Welsh, their Saints and their Stories', *Pembrokeshire Past and Present*, Greencroft Books, 1995, tt. 37-44.

W. J. Gruffydd a Richard Lewis, 'Nanhyfer', *Cerddi'r Llygad*, Gwasg y Dref Wen, 1973, tt. 13-18.

Henry Roberts (gol.), *Gwaith Barddonawl y Diweddar Barch John Jones (Tegid)*, W Rees, Llanymddyfri, 1859.

Y Bywgraffiadur Cymreig Hyd 1940, tt. 450.

B. G. Owens a B. G. Charles, 'Perlau Penfro', *Rhaglen Swyddogol Eisteddfod Genedlaethol Abergwaun a'r Fro 1986*, tt. 9-15.

George Owen, *The Description of Pembrokeshire*, Dillwyn Miles (ed.), Gomer, 1994.

D. J. Bowen, 'Graddedigion Eisteddfodau Caerwys', *Llên Cymru*, Gorff 1952, tt. 133-4.

John Davies (gol.), *Penfro: Cyfrol Goffa*, E. W. Evans, Dolgellau, 1924.

Dillwyn Miles, *Portrait of Pembrokeshire,* Robert Hale, 1984, tt. 47-63.

Euros Jones Evans, 'Noddwyr y Beirdd yn Sir Benfro', *Trafodion y Cymmrodorion*, 1972-3, tt. 160-61.

Dewi W. Thomas, 'Tyddewi : crud ein Cristnogaeth', Eirwyn George (gol.), *Abergwaun a'r Fro*, Christopher Davies, 1986, tt. 173-80.

Ieuan ap Rhydderch, 'Dewi Sant', D. J. Bowen (gol.), *Barddoniaeth yr Uchelwyr*, Gwasg Prifysgol Cymru, 1957, tt. 12-16.

John Sharkey, *Pilgrim Ways*, Ancient Landscapes, 1994.

Nona Rees, *St. David of Dewisland*, Gomer, 1992, tt. 24-5.

Dafydd ap Gwilym, 'Pererindod Merch', Thomas Parry (gol.), *Gwaith Dafydd ap Gwilym*, Gwasg Prifysgol Cymru, 1963, tt. 269-70.

D. J. Bowen, *Dafydd ap Gwilym a Dyfed*, Darlith lenyddol Eisteddfod Genedlaethol Abergwaun a'r Fro, Gomer, 1986.

Michael Powell Siddons, *The Development of Welsh Heraldry*, Vol 1, The National Library of Wales, 1991, tt. 15, 18, 177-8, 213, 244.

Michael Powell Siddons, *The Development of Welsh Heraldry*, Vol 2, The National Library of Wales, 1993, tt. 38-9, 215, 300, 584.

Francis Jones, *Historic Houses of Pembrokeshire and their Families*, Brawdy Books, 1996, tt. 34-5, 51-2, 89, 123-4, 139-41, 218-19, 165-7.

E. T. Lewis, *North of the Hills,* Haverfordwest, 1972, tt. 121, 169, 202.

D. J. Williams, *Storïau'r Tir*, Gomer, 1966, tt. 28-39.

Dillwyn Miles, *The Ancient Borough of Newport in Pembrokeshire*, Dyfed County Council, 1995.

Dillwyn Miles, *The Lords of Cemais*, Cemais Publications, 1997.

John and Sally Seymour, *Self-Sufficiency*, Faber and Faber, 1973.

John Seymour, *The Smallholder*, Sidgwick and Jackson, 1983.

Brian John, *More Pembrokeshire Folk Tales*, Greencroft Books, 1997, pp 46-7.

D. Gwenallt Jones, 'Cwm-yr-Eglwys', *Eples*, Gomer, 1951, t. 48.

Richard Davies (Mynyddog), 'Y Fynwent yn Ymyl y Môr', *Y Trydydd Cynnig*, Hughes a'i Fab, 1877, tt. 110-14.

Waldo Williams, 'Emyn', W. Rhys Nicholas (gol.), *Beirdd Penfro*, Gomer, 1961, t. 158.

W. Glynfab Williams, *Ni'n Doi*, W. M. Evans, 1918.